Officeで簡単！

公務員のための1枚デザイン作成術

佐久間 智之 ［著］

JN029261

学陽書房

▶▶ はじめに

　行政、自治体で使うパソコンのほとんどに Microsoft の Office が導入されていますが、Adobe の Indesign や Photoshop、illustrator などは広報担当など特別な部署でなければ入っていない場合がほとんどです。

　そのため行政や自治体の現場ではチラシやポスター、通知書などを作るとき、ほどんどの職員は「Word」を使っていますが、操作方法もよくわからず四苦八苦しながら作成しているのが現実です。操作方法がわからないとどうなるのかというと、「あまりいいデザインじゃないな」と自分で思っていても以前から使っているデザインのまま日程など部分的に書き換えた、前例踏襲のデザインになってしまいがちです。

　国や全国の自治体などから講師に招かれたとき「Office しか入っていないのですが、専門的なソフトがなくても佐久間さんの作るチラシやポスター、通知書のようにデザインすることはできませんか」と講演後の質疑応答でよく聞かれます。あまりにもよく聞かれるので、ひょっとしたら今までのノウハウを 1 冊の本にまとめたら、全国の自治体、行政、公務員の広報力、デザイン力の向上に繋がり、さらには住民サービスの向上にもつながるのではないかと考えました。

　本書では、細かい操作方法、ワンランク上のデザインのコツ、障害を理由とする差別の解消の推進に関する法律（障害者差別解消法）を踏まえた行政として必要なユニバーサルデザインなどをまとめています。この本を読んでいただければ、住民の皆さんに「伝わる」デザインが実現できると信じています。

　また、私が実際に 4 章で作ったチラシやポスター、通知書などの Office のファイルをダウンロードできるようになっていますので、ご活用いただければ幸いです。

　最後に。本書を執筆するにあたり、三芳町の職員と町民の皆さん、推薦文を書いてくださった Juice=Juice の金澤朋子さんとファンの皆さん、アップフロントの皆さん、全国の公務員の仲間、株式会社モリサワの皆さんに大変お世話になりました。心から感謝申し上げます。

佐久間 智之

Chapter 1

作り始める前に！
基本デザイン＆操作の基礎知識

1 ソフト操作に入る前に

2 下描き

3 レイアウト作成

Chapter 2
まずはこれだけ！
Officeソフト基礎操作編

1 テキスト

2 フォント

3 表・グラフ

Chapter 3
こんなに変わる!
Officeソフト応用操作編

1 画像・写真

2 見だし・マーク

3 ユニバーサルデザイン

Chapter 4

見よう見まねで完璧！
Officeで作るデザイン実践編

特典テンプレートのダウンロード方法と
利用上の注意点

■ダウンロードできる特典

　以上、9種のテンプレートをダウンロードできます。

■ダウンロード方法
　① 学陽書房ホームページ内の、本書の個別ページにアクセスする
　　 本書個別ページのアドレス
　　 http://www.gakuyo.co.jp/book/b507503.html
　　 ※学陽書房トップページのキーワード検索に「15113」と入力す
　　　 るとアクセスできます。
　② ダウンロードしたいテンプレートをクリック
　③ パスワードを入力
　　 パスワード：344_1021

■利用上の注意点
　本書掲載の文例等は、実務上参考となるであろう例として紹介したも
のです。実際の利用の際には、実情に応じて適宜修正等を加えてください。
　また、本書掲載の文例等の利用に関して、著者及び発行者は責任を負
いかねます。
　本書は Windows10 および Word2019、Excel2019、PowerPoint
2019 に対応しています。なお、ご利用の OS のバージョン・種類や
Office ソフトによっては、操作方法や表示画面などが異なる場合がござ
います。以上をあらかじめご了承の上、ご利用ください。

Chapter 1

作り始める前に！

基本デザイン＆
操作の基礎知識

　1枚デザインにいきなり取りかかっても、材料や
組み立て方を知らなくては何もできません。とは
いえ、何も難しいことはありません。この章に書
いてあることを覚えておけば、もう1枚デザイン
は9割できたも同然です。簡単で定番、だけど意
外と知られていない「1枚デザインの基本」をご
紹介します。

Chapter 1

1-1

W E P

Officeソフトを使い分ける

　Word、Excel、PowerPointの3つにはそれぞれ、得意なことと不得意なことがあります。例えば、Wordは文書作成に適しています。Excelでも作れないことはありませんが、手間がかかってしまいます。Officeソフトそれぞれの長所と短所をしっかり認識し、使い分けて効率的な仕事をしましょう。

　また、各ソフトの操作方法は原則同じです。ツールバーで表示されるものもほぼ同じなので、1つのソフトの操作ができれば、どれでも順応できます。

1 文書や通知書、チラシはWord　　W E P

通知書	プレスリリース	チラシ

Wordは通知書や契約関係の書類、プレスリリースなどの報告書、画像を配置しながらデザインするチラシの作成などに適しています。一方で、計算やプレゼン資料作成にはあまり適していません。

2 表計算やグラフ、統計、申請書は Excel　Ⓦ Ⓔ Ⓟ

グラフ　　　　　　　　　規則性のある表　　　　　　　　申請書

Excel は統計を取るためのグラフ、規則性のある表、申請書など囲みの多い文書の作成などに適しています。本書では関数など具体的な紹介はしませんが、どの部署でも計算式を活用する機会が多いので、覚えておきましょう。

3 プレゼン資料、ポスターは PowerPoint　Ⓦ Ⓔ Ⓟ

プレゼン資料　　　　　　　　　　　　　　　　　　　ポスター

PowerPoint は、プレゼンのスライドショーや配布資料の作成によく使われます。画像を細かく加工したり、文字を自由に配置したりできるので、チラシやポスターなどの作成に重宝されるソフトです。

コピー＆ペーストで ソフト間を行き来する

Office 間には互換性があるので、例えば Excel で作ったグラフや表をそのまま Word や PowerPoint にコピー＆ペーストで貼り付けることができます。文章中にグラフや表を入れるときは、Word や PowerPoint でグラフや表を作るのではなく、Excel で作ってから貼り付けるほうが効率的です。何をコピー＆ペーストするかで少し作業が異なりますが、ここでは、最もよく使用する「Excel から Word・PowerPoint にコピー＆ペーストする方法」をご紹介します。

✖ Word でグラフ作成

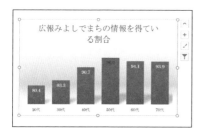

⬤ Excel で作ったグラフをコピペ

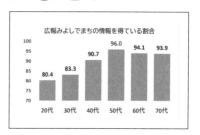

1 アプリを切り替える W E P

作業中の画面表示

作業中のタスクを左画像のように一覧することができます。

この作業は、①コピー、②アプリの切り替え、③ペースト、という順序です。先に②の説明をすると、アプリの切り替えは、Windows の最下段に表示されるアプリのアイコンでできますが、上記のショートカットを使えばキーボードだけで切り替えることも可能です。覚えておくと便利です。

2 グラフや表をコピー&ペーストする　W E P

円グラフを Excel から Word へ

❶Excel で作った円グラフ(グラフそのものではなく白地の部分)を選択

❷グラフを右クリック→ **コピー** を選択
　※Ctrl + Cでも OK

❸Word に切り替える

❹右クリック→ **貼り付けオプション** → **貼り付け先テーマを使用しデータをリンク** で貼り付け
　※グラフの書式を貼り付け先の規定フォント等に合わせる場合

表を Excel から Word へ

❶Excel で作った表のセルを選択

❷右クリック→ **コピー** を選択
　※Ctrl + Cでも OK

❸Word に切り替える

❹右クリック→ **貼り付けオプション** → **リンク (元の書式を保持)** で貼り付け

✔ CHECK

貼り付け方法には種類がある

主に①「貼り付け先の書式」②「元の書式を保持」③「図として貼り付け」の3種類があります。「貼り付け先の書式」では Word に貼り付

① 📋 ② 📋 ③ 📋

▲よく使う3つの貼り付けオプション

ける場合は Word の書式に変換されます。「元の書式を保持」の場合は、Excel で作られたグラフや表の書式はそのままで貼り付けます。「図として貼り付け」の場合、データではなく画像として貼り付けるので、文字の修正はできませんが、見た目そのままで貼り付けることができます。なお、「リンク」と「埋め込み」がありますが、「リンク」を選ぶと、コピー元のデータを編集したときに、その編集内容がコピーにも適用されます。

ショートカットキーで作業時間を短縮する

Office のソフトを使用するとき、効率的に作業する一番の近道は「ショートカットキー」を使いこなすことです。例えばファイルを保存するとき、マウスだと **ファイル → 上書き保存** という 2 つの動作が必要ですがショートカットキー Ctrl + S を使えば、一瞬で保存ができます。

❌ **マウスを使って操作**　　⭕ **キーボードだけで処理**

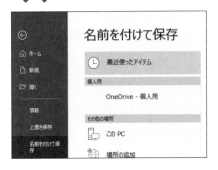

Ctrl + S

1 Ctrl + C & Ctrl + V = コピー&ペースト　W E P

❶ トリプルクリック(3 回連続で左クリック)でまとまりを一発で範囲選択

❷ Ctrl + C でコピー → Ctrl + V で貼り付け

Office で使うショートカットキーは Ctrl を押しながら、他のボタンを押すのが基本。Ctrl のポジションを見ないでわかるようにしましょう。

2 Ctrl＋頭文字をイメージする　W E P

Copy（コピー）→Ctrl＋C

Save（保存）→Ctrl＋S

ALL（全部選択）→Ctrl＋A

Print（印刷）→Ctrl＋P

Find（検索）→Ctrl＋F

Open（ファイルを開く）

→Ctrl＋O

New（新規作成）

→Ctrl＋N

Under（下線を引く）

→Ctrl＋U

切り取り→Ctrl＋X

貼り付け→Ctrl＋V

元に戻す→Ctrl＋Z

やり直す→Ctrl＋Y

3 ショートカットキーを忘れてしまったら　W E P

ショートカットキーを忘れてしまっても、安心してください。例えば、Wordで文字に下線を引きたいとき、Uの上にマウスポインターを乗せるとポップアップでCtrl＋Uと表示してくれます。ソフトによっては教えてくれないこともありますが、ショートカットキーがわからなくなったら、アイコンの上にマウスを乗せてショートカットキーを確認しましょう。

I **U** ▾ abc X₂ X² A ▾ aʸ ▾ A ▾

フォント

下線 (Ctrl+U)
文字列に下線を引きます。

＋ PLUS α
Windows キーで効率アップ

　Office で作業しているとき、ほかの処理をするために、デスクトップを表示したいときや、フォルダのエクスプローラーを表示させたいとき、ありますよね。そんなときは■（Windows キー）を使用します。

■＋D ＝ デスクトップを表示

■＋E ＝ エクスプローラーを表示

これも Desktop と Explorer の頭文字で覚えましょう

フリー素材の写真やイラストを使う

　自分で写真も撮れないし、アイコンを自作することもできない、といった悩みはありませんか。実は商用フリーで使用できる便利な写真のサイトやアイコンのサイトがあります。写真やイラストが1枚デザインの中に入っていると訴求力が格段に上がるので、ぜひ使うべきです。著者が広報みよしなどの成果物で実際に活用したサイトを2つ紹介します。

1 PAKUTASO（ぱくたそ） https://www.pakutaso.com/

カルテを持った白衣姿の女性のフリー画像（写真）

関連するフリー素材

ジューサーにぎっしり詰まったカット野菜とスムージー瓶のフリー画像（写真）

関連するフリー素材

PAKUTASO（ぱくたそ）は人物のみならず、風景や飲食物など質の高い写真がフリーで使用できます。検索ワードで簡単に絞り込みができ、ファイルサイズも選べるのでとても便利です。写真を使うことによって、訴求力と説得力が上がります。ポスターやチラシに有効です。

2 ICOOON MONO https://icoooon-mono.com/

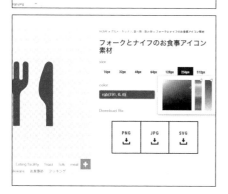

ICOOON MONO では、ピクトグラムとして活用できるアイコンが多数用意されています。使用したいイメージを検索ワードで絞り込むことができるほか、カテゴリー別にも探せます。ファイル形式を選択できるほか、色をカスタマイズすることもできます。

イラストやピクトグラムを使うことで、文字を読まなくてもどんな内容なのかが直感的にわかります。例えば手紙のピクトはメール、フォークやナイフのピクトであれば料理などを連想させることができます（本書 p.94 参照）。

👍 POINT

利用規約をしっかり確認する

フリー素材というとよく「いらすとやさん」を利用したチラシやパンフレットを目にします。しかし、利用規約には「素材を21 点以上使った商用デザイン」は有償となる旨が記載されていて、条件によっては無料でない場合があります。また、事業名が商標登録されているケースもあるので、確認を怠らないようにしましょう。

> ぱくたその写真素材は、誰でも自由に無料で何度でもご利用いただけます。写真を個別に購入したり、ライセンス費用をお支払いする必要はありません。いくら利用しても使用料が発生しないロイヤリティフリー（※1）の写真素材です。CC0 や著作権フリーのサイトではありません。
>
> ・国、地方自治体、企業、個人、団体、にご利用いただけます。なお、日本語で連絡が取れない方はご利用なれません。
> ・商用利用可能です。なお、写真素材を商品化して販売できません。
> ・写真素材はぱくたそから直接取得、または、ぱくたその写真素材であると説明を受けて取得することとし、それ以外の手段によって取得した写真素材はご利用なれません。
> ・写真素材を加工、合成、変形または変換してご利用いただけます。

▲ぱくたその利用規約の一部

Chapter 1
2-1
W E P

まず「何を作るのか」を確認する

1枚デザインを作り始める前に、確認しなければならないことがあります。それは、「この1枚デザインは、いったい何の役割を果たすのか」ということです。作成の目的や、デザインの意図を考えなくては、いくら技術があっても伝わる1枚にはなりません。ここでは、1枚デザインを作り始める前の「企画の確認の仕方」を紹介していきます。

✕ 作ることが目的化

情報を並べるだけでは訴求力がない

○ デザインの意図がある

6W1Hで狙いを定めて作る

1 目的によってデザインは変わる **W E P**

①告知

②集客

③啓発

①告知
いつ・どんな→写真重視

②集客
行きたい・自分事→
QRコード

③啓発
メッセージ性の強い写真・
言葉

イベント告知なのか、何かの申込数を増やしたいのか、それとも○○週間のように啓発をするのかによって、訴求対象や狙いが異なります。デザインは目的によって変わることをしっかり把握しましょう。

2 6W1Hで組み立てる　　W E P

6W1H

Why…なぜ
Want…どうしてほしい
Where…どこで
When…いつ見る
Who…誰に
What…何を伝える
How…どう伝える

例：市民講座

Why…満員になってほしい
Want…講座から生活を豊かにしてほしい
Where…各公共施設に掲示・配布
When…講座申込開始2か月前に作成
Who…若い人達・自分ごとと思っていない人
What…楽しそう・ワクワクするような紙面
How…チラシ・ポスターを作成・SNSも活用

下描きをする前に、まず作る前の情報を集めて「何を作るのか」を「6W1H」で読み解いていきます。6W1Hを明確化した上で、チラシを作った後の掲示や配布の時期まで想定してデザインをできれば、作ることが目的とした「アリバイ」チラシや通知書から卒業できます。

✔ CHECK

要点を押さえて原稿を集める工夫

　広報紙では、各課から原稿が上がってきて、それを元に紙面を作っていきます。そこで要点を押さえるために、必ず6W1Hに落とし込んでから作成します。私が広報担当だったときは、原稿依頼用の掲載依頼様式を作り、そこにあらかじめ6W1Hを明記しておきました。各課はそこに記入していけばよいので、自ずと原稿は整理されていき、効率化も図れました。

■掲載依頼者・掲載希望月

依頼課・掲載担当者	○○課○○係○○・担当者：	（内線　　）
掲載希望月	平成○○年○○月号	

■掲載内容（該当箇所を記入）

タイトル（原稿20字以内）	
内容（要約したもの）	

日時（曜日まで）	
場所	
料金	
対象	
定員	○○人
申込方法・申込期間	
担当課・問い合わせ先	○○課○○係　内線・電話番号

▲広報紙の掲載依頼書式例

作り始める前に下描きする

チラシも通知書も、Office で作り出す前に必ず行うことは「下描き」です。下描きとは、デザインの目的やねらいを可視化させることです。どのようにしたらわかりやすいか、手に取ってもらえるか、何を一番伝えたいかを書き出しながら、レイアウトを決めていきます。いきなり作り出すのは絶対にやめましょう。

✕ いきなり 作り始める

◯ 下描きして作る

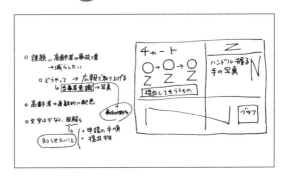

1 流れをデザインする　W E P

企画	素材	レイアウト
ターゲットを勘案しながら、チラシや通知を見てどのように感じてもらい、どういう行動変容に繋げたいのかを下描きして組み立てます。	原稿や写真、文字やロゴなどの素材を集めます。どの情報が大切か、どの情報が必要ないかなどの精査を行います。	大見出し、小見出し、本文、アイキャッチなどを決め、どのようにしたら読み手に伝わるのかを理論的に考え、素材を配置していきます。

2 レイアウトをする

W E P

例：高齢者運転免許自主返納制度

75歳以上の人が免許を返納し、証明書を
まちに提出することで還付される制度を伝
える紙面を作る場合、①インパクトを与
えるために写真を大きく配置（アイキャッ
チ）。②高齢者の事故件数の推移をグラフで
伝え、本文で制度支援内容を説明。③更新
手順の説明は、ピクトを使いながら直感的
にわかるように工夫したデザインに。

企画を立てる

・高齢者に
・免許証を返納して
　もらいたい
・返納のメリットを
　伝えたい
・返納の方法が簡単
　であることをア
　ピールしたい

必要な素材
（要素）

 **説明文（本文）**

 グラフ

 申請手順

 アイキャッチ

レイアウト
（素材の配置）

ターゲット…高齢者・家族
わかりやすさ…ピクトグラム・チャート
当事者意識…事故のデータ
アイキャッチ…写真・コピー

✔ CHECK

起案するタイミング

　せっかく作ったのに、上司からダメ出しされてやり直すハメになったことはありま
せんか。それを防ぐためには、企画を立てて下描きをした時点で一度必ず上司に相談
しましょう。この写真を使いたい、こういった流れでよいかなどを確認して、問題が
なければ作成していきます。そのあとに起案を上げる流れにすれば、差し戻される可
能性がグッと低くなります。

成功デザインのコツ①
ジャンプ率を使って メリハリを付ける

文字や画像の大きさの比率を「ジャンプ率」といいます。例えば、大見出しと本文の文字の大きさの差が小さければジャンプ率が低く、逆に差が大きいときはジャンプ率が高くなります。紙面のターゲット層や目的によってジャンプ率をコントロールできれば、より訴求力の高い紙面づくりが可能になります。

 ✖ ジャンプ率がゼロ

 ⭕ ジャンプ率が大きい

下記の期間

臨時休館します

7月2日㊊-7月8日㊐まで

問い合わせ

佐久間市☎123-456-789X

何を強調したいのかわからない

下記の期間

臨時休館します

7月2日㊊ー7月8日㊐まで

問い合わせ
佐久間市☎123-456-789X

伝えたい優先順位が明白

1 人は8割の情報を視覚から得る　W E P

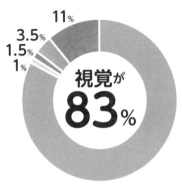

11%
3.5%
1.5%
1%

視覚が **83**%

●視覚　●味覚　●触覚
●嗅覚　●聴覚

ポスターやチラシ、通知書などは、どんな内容でも人の目を惹かなければ意味がありません。人は自分に興味があるかないかを0.3秒で判断するといわれています。また、人は情報の8割を視覚から得ています。パッと見て伝わるデザインにするにはジャンプ率を使いこなすことが重要です。

出典：教育機器編集委員会編『産業教育機器システム便覧』（日科技連出版社、1972年）p.4、図1.2をもとに作成

2 ジャンプ率の高低で印象を変える　W E P

ジャンプ率が低い

介護保険制度の概要

介護保険制度は、社会全体
で支えあうことを目的とした

○ 落ち着きがあり上品
× メリハリがない

ジャンプ率が高い

介護保険制度の概要

介護保険制度は、社会全体で支
えあうことを目的とした………

○ メリハリがはっきりする
○ 力強い印象

ジャンプ率が低い

三芳町の魅力を伝えたい

地域が楽しめる場所

農業センターの利活用を考える会議を
重ね誕生したカミトメマルシェの秘密に
迫ります。

× どこを読めばよいのか
　わからない

ジャンプ率が高い

三芳町の魅力を伝えたい

地域が楽しめる場所

農業センターの利活用を考える会議を重
ね誕生したカミトメマルシェの秘密に迫
ります。

○ タイトルに目が行く
○ サイズとウエイトが変化

＋ PLUS α
見る文字と読む文字の違いを知る

　大見出しや小見出しなど「見る」文字は、
興味や関心を引くためのもので、「大きく＆
太く」が鉄則です。本文やキャプションな
どに代表される「読む」文字は、「小さく＆
細く」が鉄則です。ジャンプ率が大きいほ
どダイナミックな印象を与えることができ
ます。

▲伝えたい内容を大きな見出しに

成功デザインのコツ②

色とフォントを 最小限にする

　紙面にまとまりがない原因に、「色を使いすぎている」「フォントをたくさん使っている」ことがあります。「今回はカラー印刷ができるからたくさん色を使わないともったいない」などがよく聞く理由ですが、それは作り手の自己満足です。読みにくく見にくい紙面になってしまいます。

✖ 色やフォントが多い　　　◯ 色やフォントを絞る

1 色は基本 黒＋1色で濃度を変える　　　W E P

✖ 色を使いすぎて汚い　　　◯ 濃度を変えて色を絞る

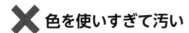
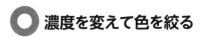

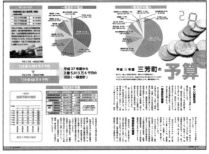

　1つの紙面では原則黒＋1色のみ使い、濃度を変えてデザインします。ほかの色を使う場合も黒＋2色程度におさえましょう。色を絞るとバランスがよくなるほか、カラーユニバーサル（本書 p.96 参照）にもつながります。

2 フォントは1種類で太さを変える

✕ フォントがバラバラ　　**◯ 1種類のフォントだけ**

1つの紙面にたくさんの種類のフォントがあると統一感がなくなるだけなく、読み手が読みにくい、見にくいと感じてしまいます。使うフォントは1種類にして、文字の太さだけを変えるようにしましょう。

3 必ず白黒印刷で確認する W E P

✕ 色を使いすぎる　　**◯ 白黒でも見やすく**

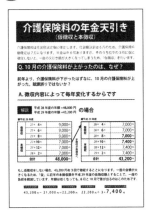

すっきりと見やすい紙面は、カラーであっても白黒でも見やすいものです。もしも白黒印刷をして文字が見にくかったり、つぶれてしまったりしている場合は、配色に問題があると考えられます。また、白黒でも濃度（明度）を変えれば濃いグレーや薄いグレーなどたくさんの色を使うことができるので、赤や青などの色で変化をつけるよりも、濃度（明度）で変化をつけましょう。

成功デザインのコツ③

鉄板のバランスを使いこなす

　人が美しいと感じる比率を「黄金比（1:1.618）」と呼び、世の中のデザインは大体これに基づいています。また、日本人が美しいと感じる「白銀比（1:1.1414）」という比率もあり、A4 など A 規格に準じています。著者が編み出した「7：3の法則」「L字の法則」を使えば、比率を覚える必要はありません。

黄金比　1：1.618

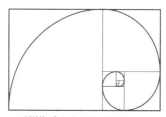

・縦横どちらでも OK
・およそ 7：3 の比率
・四角の中に要素を入れる

白銀比　1：1.414

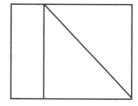

・縦横どちらでも OK
・およそ 4：3 の比率
・四角の中に要素を入れる

1　7：3（まず読んでもらいたいもの：詳細）　W E P

7

3

　真っ先に伝えたい情報やキャッチコピーは上部7割の位置に配置し、アイキャッチとして写真やイラストを大きく配置します。これは人は上から順に見る習性があるためです。紙面の下部（残りの3割）には詳細な情報を入れます。

2 横向きのものは7割以上に W E P

8
___
2

0.3秒で心をつかむためには、まず写真やキャッチコピーが目に飛び込んでくるように、大胆に配置しましょう。横向きのポスターやチラシも7:3の法則に基づいてデザインしますが、8割を写真とキャッチコピーにした上の画像のように、7割以上にするとより効果的です。

3 見開き紙面には「L字の法則」 W E P

L

見開きの紙面の場合も7:3の比率を意識してデザインします。上の紙面の場合、右頁は7:3の法則に則っていて、かつ見開きでL字型に見えるように配置しています。これは、著者が「L字の法則」と名付けているものですが、4:3に近い比率、つまり白銀比に近い、見やすいデザインです。

上下左右の余白を決める

　紙面の余白を調整すると、印象が大きく変わります。上下左右に余白がありすぎると、バランスが悪くなるだけでなく、1枚で収まりきらなくなることもあります。全体的なバランスを調整して適切な余白を設定することで、伝わる紙面に近づくことができます。

✖ 余白がありすぎる

⬤ 適切な余白

1　標準の余白を設定する　W E P

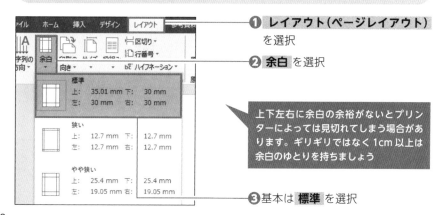

❶ レイアウト（ページレイアウト） を選択

❷ 余白 を選択

> 上下左右に余白の余裕がないとプリンターによっては見切れてしまう場合があります。ギリギリではなく1cm以上は余白のゆとりを持ちましょう

❸ 基本は **標準** を選択

28

2 余白の設定を自由に変更して調整する ⓦ ⓔ ⓟ

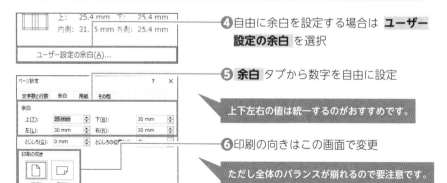

❹自由に余白を設定する場合は **ユーザー設定の余白** を選択

❺ **余白** タブから数字を自由に設定

> 上下左右の値は統一するのがおすすめです。

❻印刷の向きはこの画面で変更

> ただし全体のバランスが崩れるので要注意です。

3 とじしろを付ける ⓦ ⓔ ⓟ

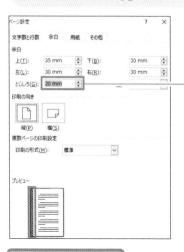

❼とじしろ（ホチキスやパンチ穴をあけるための余白）が必要な場合は 20mm 程度入力

👍 POINT

目的によって余白を決める

余白 を **狭い** にすると、全体的に窮屈な印象になります。ただ、これはあくまでも文書の場合です。チラシやポスターなど、「目を惹く」ことを目的にするなら、広すぎる／狭すぎる余白が逆に良い場合もあります。例えば、チラシやポスターなら、余白が多いとゆとりのある印象を、余白が少ないと賑やかな印象を与えることができます。目的によって使い分けることが大切です。

▲余白が狭いと窮屈な印象

縦書きか横書きかを設定する

ほとんどの書類は横書きですが、祝辞やお礼文を書くときなど縦書きで文書を作る機会もあります。また、縦書きの文書や書類を作ることができれば資料づくりの幅が広がります。ここでは縦書きの際に注意するべきポイントをご紹介します。

 2桁の数字も縦書き　　　 **2桁の数字は横書き**

1 横書きか縦書きかを選択する　　W E P

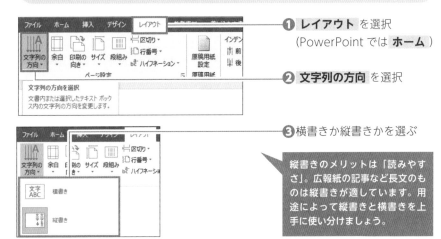

❶ **レイアウト** を選択
（PowerPoint では **ホーム**）

❷ **文字列の方向** を選択

❸ 横書きか縦書きかを選ぶ

> 縦書きのメリットは「読みやすさ」。広報紙の記事など長文のものは縦書きが適しています。用途によって縦書きと横書きを上手に使い分けましょう。

2 数字の向きをそろえる

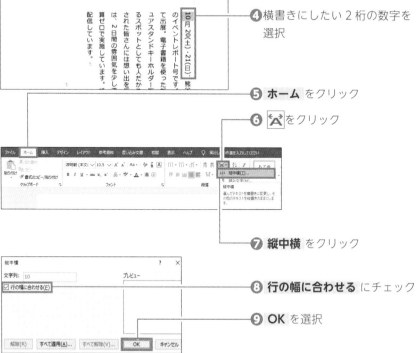

④横書きにしたい2桁の数字を
選択

⑤ **ホーム** をクリック

⑥ をクリック

⑦ **縦中横** をクリック

⑧ **行の幅に合わせる** にチェック

⑨ **OK** を選択

＋ PLUS α

縦書きと横書きを混在させる方法

縦書きと横書きを混在させたいときは、「テキストボックス」を使用します。配置するときは、p.72で紹介する画像の挿入と同じように、**四角形** か **前面** を活用し、バランスよくなるように挿入位置を調整しましょう。

10月20（土）・21（日）、熊谷ドームで開催された『SATOYAMA&SATOUMI』のイベントレポート号です。今回、三芳町は「埼玉県三芳町×カタポケ」のイベントプロモーションとして出展。電子書籍を使った新しい自治体プロモーション、会場限定のフィギュアスタンドキーホルダー販売なども行いました。また記念写真を撮影できるスポットとしても人だかりができるなど、大変盛り上がった2日間。参加された皆さんには想い出を振り返りながら、会場にお越しになれなかった人は、この間の雰囲気を少しでも感じていただければと思います。この号は予算ゼロで実施しています。紙媒体は発行せず、電子書籍「カタポケ」でのみ配信しています。

【文書の重要な部分を引用して読者の注意を引いたり、このスペースを使って注目ポイントを強調したりしましょう。このテキスト ボックスは、ドラッグしてページ上の好きな場所に配置できます。】

▲テキストボックスを使いこなす

チラシ・ポスターは テキストボックスを使う

Word や PowerPoint でチラシやポスターなどを作る場合、文書を書くのと同じようにベタ打ちで入力していくと、改行するとずれるなど支障が出てきます。そこでテキストボックスを使って 1 コンテンツごとに文章や文字のパーツを作り、それを自由に配置することで、1 枚デザインの幅が格段に広がります。

 文章をそのまま入力

⚫ **テキストボックスで 自由度アップ**

> **2つのステップだけで手続き終了**
>
> **STEP1** 申込書を役所かホームページで入手し記入
> **STEP2** 申込用紙を引き落とす金融機関に提出
>
> 金融機関に提出後2週間程度処理に時間がかかります。その期間内に納期限がある場合は、その分は納付書でのお支払いとなりますので、ご注意ください。

> **2つのステップだけで手続き終了**
>
> **STEP1** 申込書を役所かホームページで入手し記入
> **STEP2** 申込用紙を引き落とす金融機関に提出
>
> 金融機関に提出後2週間程度処理に時間がかかります。その期間内に納期限がある場合は、その分は納付書でのお支払いとなりますので、ご注意ください。

1 ＜挿入＞からテキストボックスを選択する Ⓦ Ⓔ Ⓟ

❶ **挿入** を選択

❷ **テキストボックス** を選択（**図形** からも可。Excel は **図形** からのみ可）

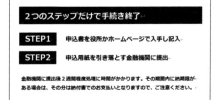

> テキストボックスだけでなく図表や画像など文章以外のものを紙面上で使用したいときは、概ね＜挿入＞のなかに含まれています。

❸ 今回は **横書きテキストボックスの描画** を選択

2 ブロックごとにパーツを作っていく ⓦ Ⓔ Ⓟ

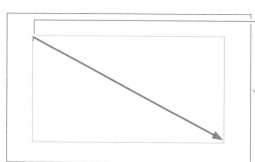

❹「+」のポインターを右下にドラッグして文字を入れるボックスを作る

ここからは、例として左ページで挙げた○×の○の例のようなテキストボックスの作り方を紹介します。

❺下地が黒の見出しを作るため、文字を入力後、枠をクリック→右クリック→ **塗りつぶし** から黒を選択。文字を選択し、右クリック→Ａ から文字色を白にする

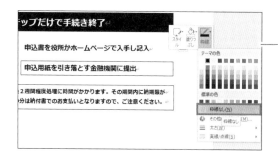

❻❺と同様にテキストボックスに文字を入力。枠線が必要ないところは、枠をクリック→右クリック→ **枠線** から **枠線なし** を選択

👍 POINT
パーツを繋ぎ合わせるイメージ

　チラシなどを作るとき、いきなりソフトで作り出すのではなく、まずは下描きをするとどんな要素が必要なのかがわかります。そのうえで、項目やパーツをテキストボックスで作り、調整していきます。

▲パーツを作ってつなぐ

テキストボックスの余白を調整する

　紙面や枠内ギリギリまで文字や図形を配置すると、圧迫感を与えるだけでなく、見にくく読みにくい紙面になってしまいます。上下左右に適切な余白を作ることで、ゆとりのある紙面になります。文字が入りきらない場合は、文字を削ってでも余白を作ります。文字の引き算もできるようになりましょう。

✖ 余白がない

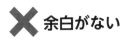

圧迫感を感じる

◯ 余白が適切にとれている

ゆとりがあり、見やすく読みやすい

1 行頭の余白を調整する　W E P

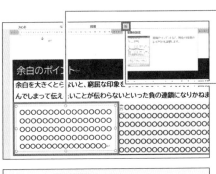

❶ ここではテキストボックス内の行頭を調整する。テキストボックスをダブルクリック

❷ **ホーム** 内 **段落** の右下 ↘ を選択 (Excel の場合はテキストボックスを右クリック→ **段落** を選択)

❸ **インデントと行間隔** 内 **インデント** の値を左右それぞれ 1 〜 2 字にそろえ、**OK** を選択。これで左右の余白ができた

2 テキストボックス内の行間と段落を調整する W E P

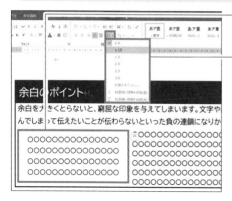

❹テキストボックスをダブルクリック

❺ **ホーム** 内 ↕☰（縦書きなら ⊞）のド
ロップリストから行間を選択

❻ほかのテキストボックスも❶〜❺
の手順に準じて、段落と行間を調整

3 全体のバランスを調整する W E P

❼全体のバランスを見ると本文のフォ
ントが大きいので、小さく

❽本文も同様に段落と行間を調整

❾「余白のポイント」の部分は、イン
デント（本書 p.46 参照）を使って
調整

👍 POINT

図版率で印象が変わる

　文字や写真などのコンテンツが紙面に占
める割合を「図版率」といいます。この大小
で次のような印象を与えることができます。
【図版率が小さい】
〇 上品・高級感・ゆったり・おしゃれ
× 内容が薄い・寂しい
【図版率が大きい】
〇 お得感・実用的・賑やか・元気
× 圧迫感・落ち着かない

▲図版率が小さい　　　▲図版率が大きい

印刷するときは PDFにする

　折角苦労して作り上げたのに、印刷すると文字が切れてしまったり、思った通りの配置にならずズレてしまったりしたことはありませんか。ほとんどの場合これは、プリンター側の問題です。しかし、もしかすると、PC の操作だけで簡単に解決できるかも知れません。その解決方法とは、「PDF に保存してから印刷する」という方法です。Word、Excel、PowerPoint 全てで PDF 出力が可能なので、ぜひ活用してください。

✕ Office データの まま印刷

意図したとおりに印刷できない

◯ PDF データに 変換して印刷

意図したとおりに印刷できる

1 保存する場所を選ぶ　　　W E P

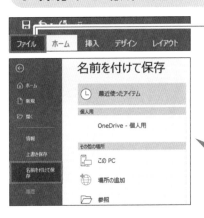

❶ **ファイル** を選択

❷ **名前をつけて保存** を選択

❸ 保存する場所を指定
　※❶～❷の操作は F12 でも可

> 試しに印刷して出来上がりを確かめたい場合は、デスクトップにひとまず保存し、確認が取れてから正しいフォルダに入れ直すと良いでしょう。

2 PDF で保存し印刷する W E P

❹ **ファイル名** を入力

❺ **ファイルの種類** は **PDF** を選択して保存

❻ 印刷すると意図したとおりに出力される

✔ CHECK

データの保存形式とは

　データを保存するとき、タイトルの後に「.docx」などと付いていますよね。これらは「拡張子」といいます。データの保存形式と考えていただければ OK です。拡張子は、同じ Word でも、バージョンによっては違う名前になります。今回ここで紹介したのは、PDF 保存（拡張子：「.pdf」）の方法です。ただし、作業途中で PDF 保存してしまわないように注意しましょう。PDF 保存とは、1 枚の絵のように文字や要素を固めてしまう方法です。PDF 保存だけして、Office の拡張子データで保存をしないと、やり直しができなくなります。PDF 形式は印刷には適していますが、やり直しはできないということを頭に入れておきましょう。

Word: .docx
Excel: .xlsm
PowerPoint: .pptx

PDF: .pdf

Dr. 佐久間の デザインクリニック

◂◂ Before

<感染症対策をしましょう！>

新型コロナウイルスなどの感染症の対策には「手を洗うこと」「マスクをすること」「不要不急の人混みを避ける」ことが重要です！！

1. こまめに手洗いをしよう！
2. マスクを正しく着用しよう！
3. 体調が悪いときは特に不要不急の外出や人混みを避けよう！

マスクをしよう

― 見出しと本文にメリハリがない

― 文字が多いので「読み物」になってしまっている

― 余白があるからとイラストを入れてしまっている

After ▸▸

伝えたい内容に優先順位（この場合、①感染症対策、②3つの項目、③細かい説明）をつけ上から順位の高い順に配置。タイトルは大きく太くする

強調したい箇所は色を変えるのではなく文字を太くし下線を引くことで「見る文字」に

詳細は文字を小さくすることでメリハリをつける

ピクトグラムやイラストを適切に使うことで直感的に内容がわかるようにする

感染症対策
重要な3項目

新型コロナウイルスなどの感染症には
①**手洗い**②**マスク着用**などの咳エチケット
③不要不急の**人混みを避ける**ことが**重要**です。

インフルエンザ、新型コロナウイルス等を予防するために、正しい手洗い方法を覚えて、マメに手洗いを実施し、使い捨てマスクをつける際は、正しく使い効果的に感染症を予防しましょう。また、高齢者や疾患のある人は不要不急の人混みを避けるように気を付けることが重要です。

こまめな手洗い

ドアノブや関連のつり革など様々なものに触れることで、自分の手にもウイルスが付着しているものもありません。帰宅時や調理の前後、食事前などこまめに手洗いをしましょう

マスクで飛沫を防止

風邪や感染症の疑いがある人たちに、マスクを着用してもらうことで、くしゃみなどによるウイルスの拡散感染等を防止することができます。マスクがない場合は代用品を活用しましょう。

人混みを避ける

ウイルスに感染すると重症になる可能性の高い高齢者や疾患のある人は、なるべく人混みを避けるように注意し、不要不急の外出を控えることも感染予防に繋がります。

Chapter 2

まずはこれだけ！
Officeソフト
基礎操作編

自治体の1枚デザインを見ていると、あとほんの
ひとつ変われば劇的に良くなるのに、と思うこと
がよくあります。じゃあ、その「ほんのひとつ」
とは何かというと、「フォント（文字の書体）」だっ
たり「テキストの見せ方」、もしくは「表・グラ
フの伝わりやすさ」です。ここでは、その「ほん
のひとつ」の工夫をご紹介します。

1-1 行間を調整する

W E P

　行間の初期設定は Word では間が空きすぎ、PowerPoint では逆に狭くなりすぎています。行間は、文字の大きさに対して 50 〜 70% が適切とされています。行間の調整は **段落** の設定で行うことができます。文字のポイントの倍を目安に行間を設定すると、概ねちょうど良い行間になります。

✕ 行間が空きすぎ

トラスト保全地の緑地公園で笑顔を見せる三芳町広報大使の Juice=Juice リーダー金澤朋子さん。自身の写真集やグッズなどの収益の一部を三芳町緑化推進費寄附に充てるなどし、里山保全や SDGs の取り組みをしています。.

◯ 適切な行間

トラスト保全地の緑地公園で笑顔を見せる三芳町広報大使の Juice=Juice リーダー金澤朋子さん。自身の写真集やグッズなどの収益の一部を三芳町緑化推進費寄附に充てるなどし、里山保全や SDGs の取り組みをしています。

1 ＜段落＞から詳細設定を表示する

W E P

❶ **ホーム** を選択

❷ **段落** の ↘ をクリック（Excel の場合は、テキストボックス内でのみ使用可。テキストボックスを右クリックして **段落** を選択）

段落を上手に使うことで行間をコントロールできます。行間を詰めると切迫感を、空けるとゆとりのある印象を与えることができます。

2 行間の数値を設定する

W E P

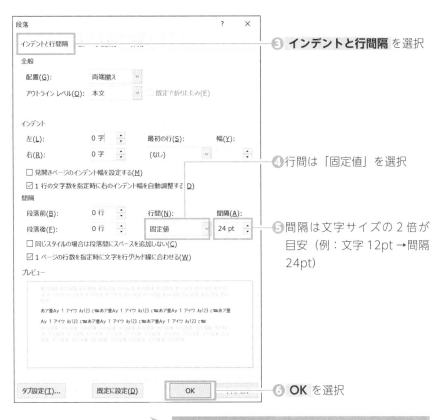

❸ **インデントと行間隔** を選択

❹行間は「固定値」を選択

❺間隔は文字サイズの2倍が目安（例：文字12pt→間隔24pt）

❻ **OK** を選択

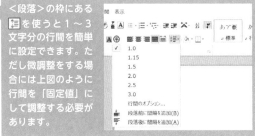

＜段落＞の枠にある 图 を使うと1〜3文字分の行間を簡単に設定できます。ただし微調整をする場合には上図のように行間を「固定値」にして調整する必要があります。

✔ CHECK

行間は見えない線になる

　実は行間のスペースは、視線の導線になります。例えば左から右に文字を追っていき、次の行の始まりである左下に向かうとき、行間のスペースを無意識に頼りにしているはずです。適切な行間が読みやすさに繋がる理由はここにもあります。

文字間隔を調整する

Chapter 2
1-2

タイトルや見出しなど文字数が少ない場合は、文字間隔に特に気を遣います。目に入った文字がパッとわかるような工夫が必要です。文字間隔が広すぎると、間延びした印象になり、狭すぎると窮屈な印象となります。適切なバランスになるよう調整しましょう。

 間延びした印象

 適切な文字間隔

文字間は、カタカナや・に気を付ける
文字間は、カタカナや・に気を付ける
文字間は、カタカナや・に気を付ける

文字間は、カタカナや・に気を付ける
文字間は、カタカナや・に気を付ける
文字間は、カタカナや・に気を付ける

文字間隔「標準」

文字間隔を調整

1 ＜フォント＞から文字間隔を変える　　W E P

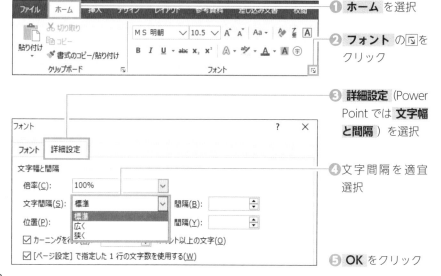

❶ **ホーム** を選択

❷ **フォント** の⤵を
クリック

❸ **詳細設定**（Power
Point では **文字幅
と間隔**）を選択

❹ 文字間隔を適宜
選択

❺ **OK** をクリック

2 テキストボックスの文字間隔を調整する　　W E P

❶テキストボックスで文字を
　入力

❷ **段落** 内▤を選択し均等揃え
　に

❸テキストボックスを中心に向
　けて幅を狭めたり広げたりし
　ながら文字間を調整

> チラシなど、パーツの多い1枚デザ
> インの文字間隔を調整するときにお
> すすめです。

+ PLUS α

「・」などの記号の文字間隔が気になる

　「・」や「。」など記号の文字間隔が気になること
はありませんか。これも、文字間隔を詰めたい文字
を選択し、文字間隔を「狭く」にしたり、間隔を適
宜設定したりして調整することができます。

中黒・や「。」の文字間が気になる
間延びして見える

中黒・や「。」の文字間が気になる
カーニングで適切な文字間に

箇条書きツールを活用する

　3つ以上の項目がある場合、箇条書きにすると読みやすく見やすくなります。しかし、文頭に「・」や「●」を入力して箇条書きにするとずれが生じる場合があります。そこで「箇条書きツール」です。行頭が揃うだけでなく、改行したときに自動で番号や記号が振られるので便利です。

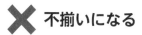 **不揃いになる**

箇条書きツール不使用

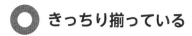 **きっちり揃っている**

箇条書きツールを使用

1 箇条書きツールを表示する

W E P

❶箇条書きにしたい範囲を選択

❷ **ホーム** を選択

❸ のプルダウンボタン（▼）をクリック（Excel の場合は、テキストボックス内でのみ使用可。テキストボックスを右クリックし、 **箇条書き** を選択）

> 文頭に記号や番号が自動で振られていくので、約物や番号などの入力は不要です。

2 ダイアログ ボックスから形式を選択する　W E P

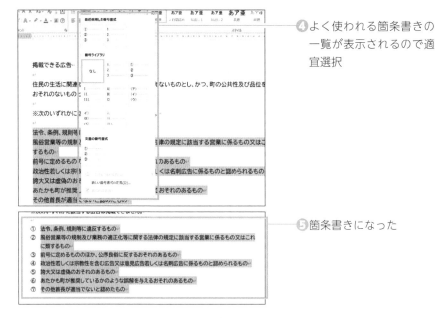

❹よく使われる箇条書きの一覧が表示されるので適宜選択

❺箇条書きになった

3 特殊な記号を使った箇条書き方法　W E P

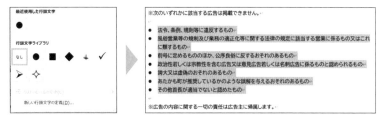

ホーム 内 ☰ のプルダウンボタンをクリックすると左上画像のような記号一覧が表示されます。適宜記号を選べば、改行時にその記号が自動で付設されます。番号にするか記号にするかは、内容によって使い分けましょう。

👍 POINT

2行目以降を揃える

　箇条書きツールを使わないで「・」などを文頭にしてしまうと、2行目以降が不揃いになり、全体のバランスが悪くなります。箇条書きツールを使えば2行目以降も自動で揃います。ツールを上手に使うことが、伝わるデザインの近道です。

Chapter 2
1-4
W E P

インデントで行頭を揃える

段落ごとに文字をずらしたい、1 文字分下げたいと思ったことはありませんか。見やすく読みやすい紙面のためにはインデント◻◻の操作を知っておくと便利です。インデントを上手に使うことで、段落ごとに均一に文字をずらすことができます。

✖ 段落が揃いすぎている

インデントを使用していない

⭕ 段落ごとにメリハリ

インデントを使用

1 ルーラーを表示する

W E P

❶ **表示** をクリック

❷ **ルーラー** にチェック

❸ ルーラーが表示された

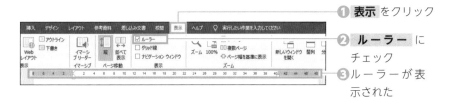

右画像のように3種類のインデントがあり、インデントは段落ごとに設定できます。メインで使うのは、「左インデント」です。行ではなく段落ごとずらしていくことができ、1行目のインデントとぶら下がりインデントも一緒に動きます。
「1行目のインデント」は、段落ではなく1行目だけが動きます。また、「ぶら下がりインデント」は1行目は動かずに2行目以降の選択した段落が移動します。

1行目のインデント
ぶら下がりインデント
左インデント

2 ルーラーからインデントを設定する　W E P

❹ずらしたい段落を範囲選択

❺左インデントを右に移動させて
調整する

3 ＜段落＞からインデントを設定する方法　W E P

段落 のダイアログボックス（ ホーム → 段落 内⤵）からもインデントを設定できます。インデント内「左」の文字数を変えることで何文字分スペースを空けるかを設定することができます。

+ PLUS α

Alt で微調整

微妙にずれた面を合わせたいときは、Alt を押しながらインデントを選択すると表示が変わり細かく調整できます。

▲文字数が表示されわかりやすい

47

グリッドシステム を使って位置を整える

直線的に規則正しく配置されたレイアウトを「グリッドシステム」といいます。これを覚えるだけで、格段に見た目が向上します。1mm も不揃いを作らないように必ず面を揃えましょう。

 不揃いでバランスが悪い 揃っているので見やすい

 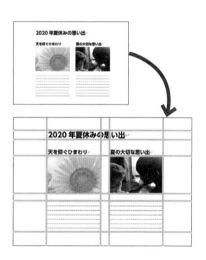

1 テキストボックスの位置を揃える　　　　W E P

❶ Shift を押しながら２つのテキストボックスを選択

❷ ❶の操作により 書式 タブが出てくるのでクリックし 配置 から 下揃え を選択

❸ 配置 では、上下左右一番端にあるものが基準となる。今回の場合、右に左が合わさる

2 複数の項目の面を合わせる W E P

④ Shift を押しながら右側の小見出し・写真・本文を選択

⑤ **配置** から **左揃え** を選択

⑥ 左にしっかりと揃った。少しずれてしまう場合は、インデント（本書 p.46 参照）で調整

3 全体のバランスを調整する W E P

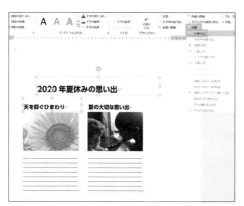

⑦ Shift を押しながら大見出しと左の小見出しを選択

⑧ **配置** から **左揃え** を選択

⑨ グループ化(本書 p.89 参照)をすれば、グリッドシステムの完成

👍 POINT

疲れない、迷子にならない目線の誘導

　大見出し、小見出し、本文、キャプションといった様々なコンテンツを何も意識せずに配置していくと、行ったり来たりで目が疲れてしまうほか、自分がどこを読んでいるのか目線が迷子になってしまいます。手間はかかりますが、グリッドシステムを意識して左揃えにするなど、読みやすさ、見やすさを向上する工夫をしましょう。

▲グリッドシステムで目線を整える

明朝体とゴシック体を使い分ける

　フォントは「明朝体」「ゴシック体」と大きく2つに分けることができます。原則この2種のフォントを使用して文章を作成していきます。明朝体は横に細く縦が太く、ゴシック体は全体が均等に太くなっています。一般的に、明朝体は長文と相性が良く、ゴシック体は見出しなど強調したいときに使います。また、スライドには明朝体ではなく、太いゴシック体を使うことがセオリーです。Ofiice ソフトの種類もフォントを使い分ける指針になるでしょう。

✖ 細くて見にくい　　　　　⭕ 太くて見やすい

MS 明朝

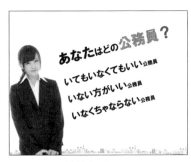

HGP 創英角ゴシック UB

1 スライドは「ゴシック体」　　　　　W E P

著者が登壇したときの様子

大きく太いゴシック体を使うとしっかり見える

プレゼン資料は1スライドに入れる情報は最小限にし、遠くから見ても文字がわかるように、大きく太い「ゴシック体」のフォントを選びます。

2 小見出しは「ゴシック体」、本文は「明朝体」　W E P

 ✕ 全て明朝体　　　　⭕ 小見出しはゴシック体

介護保険制度とは

介護保険は、寝たきりや認知症など介護が必要になった高齢者に対して、できる限り住み慣れた町でくらせるように、高齢者の介護を社会全体で支える制度です。みんなで保険料を出し合い、介護が必要になったときは、心身の状態に応じた介護サービスを、費用の1割又は2割負担で受けられます。

加入する人

40歳以上のみなさんが加入者（被保険者）となります。

介護サービスを利用できる人

被保険者は、年齢で2つに分かれます。65歳以上は「第1号被保険者」、40歳～65歳未満は「第2号被保険者」です。

Wordで文章を作成するとき、デフォルトの明朝体ですべて完結してしまいがちですが、強調したいポイントや小見出しはゴシック体にするだけで、グッと伝わりやすい文書、紙面になります。

3 数字はP付でない「ゴシック体」　W E P

 ✕ MS P明朝　　　 ⭕ MSゴシック体

行政職給料表（一）

職務の級	1 級	2 級	3 級
号 給	給料月額	給料月額	給料月額
	円	円	円
1	141,300	199,100	224,800
2	142,300	200,900	226,700
3	143,400	202,700	228,600
4	144,500	204,600	230,500
5	145,600	206,400	232,500
6	146,700	208,200	234,400
7	147,800	210,000	236,300
8	148,900	211,900	238,300

数字を多用するExcelでは、くっきりハッキリしたゴシック体がおすすめです。また、P付フォントだと桁が同じでも微妙に文字がずれることがあるので、等幅のP付でないフォントを選択しましょう。

キャッチーな
フリーフォントを使う

チラシやポスターを作るとき、イメージに合ったフォントを選択すると訴求力がグッと向上します。そこで、著者がこれまでに実際に使用したおすすめのフリーフォントを、フォントのインストール方法もあわせて紹介します。簡単にインストールできるので、フォントのラインナップを増やしてみましょう。

 イメージと合わない　　 スタイリッシュな書体

ポップ体

マキナス（フリーフォント）

1 おすすめは「マキナス」と「あんずもじ」　W E P

▼マキナス　https://moji-waku.com/makinas/

> マキナスは近未来的

▼あんずもじ　http://www8.plala.or.jp/p_dolce/site3.html

> あんずもじは優しい印象

フリーフォントサイト
フリーフォントを使用するときは、商用利用可能かなどの利用規約をしっかり確認しましょう。今回紹介する書体は商用可能です。

2 フォントをインストールする　　W E P

❶無料配布サイトからダウンロードして ZIP を解凍、フォルダを開く

❷ファイル種類が「OpenType フォント」のものをダブルクリック

❸ **インストール** をクリック。ウィンドウが閉じたらインストール完了（特にインストールが完了しましたという表示はされない）

3 インストールしたフォントを使用する　　W E P

❹フォントを変えたい文字を選択→右クリック

❺フォント選択のドロップリストに使用したいフォント名、今回は「マキナス」、を入力（フォントはドロップリストから探すことができるほか、直接入力でも選択できる）

❻フォントが変更された

✔ CHECK

　明朝体は品の良さや落ち着きを、ゴシック体は力強さなどの印象を紙面に与える効果があります。一方、ポップ体が与える印象は「安さ」です。スーパーの安売りチラシのフォントはポップ体ですよね。ポップ体を使うと、よく言えば「お求めやすい」印象、悪く言えば「安っぽい」印象になるのです。

▲安心感が出ない

特定のフォントで最初から入力できるよう設定する

　よく使用するフォントや読みやすく設計された UD フォントを、Office を起動したときに最初から使えるよう既定フォントに設定しておくと便利です。事務職は「BIZ UD（P）ゴシック」、教育部局は「UD デジタル教科書体」に設定しておくことをおすすめします。

❌ 毎回フォントを変更

⭕ よく使うフォントを初期値に

1 Word は UD フォントに設定する　　　W E P

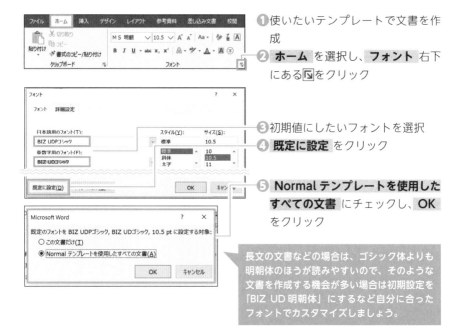

❶ 使いたいテンプレートで文書を作成

❷ **ホーム** を選択し、**フォント** 右下にある🔲をクリック

❸ 初期値にしたいフォントを選択

❹ **既定に設定** をクリック

❺ **Normal テンプレートを使用したすべての文書** にチェックし、**OK** をクリック

> 長文の文書などの場合は、ゴシック体よりも明朝体のほうが読みやすいので、そのような文書を作成する機会が多い場合は初期設定を「BIZ UD 明朝体」にするなど自分に合ったフォントでカスタマイズしましょう。

2 Excel はゴシック体に設定する　W E P

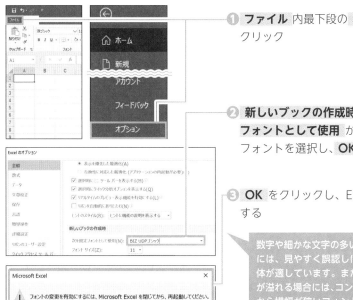

❶ **ファイル** 内最下段の **オプション** を
クリック

❷ **新しいブックの作成時** 内 **次を既定
フォントとして使用** から使用したい
フォントを選択し、**OK** をクリック

❸ **OK** をクリックし、Excel を再起動
する

> 数字や細かな文字の多い Excel の書類
> には、見やすく誤認しにくいゴシック
> 体が適しています。また表組みで文字
> が溢れる場合には、コンデンス書体（元
> から横幅が狭いフォント）を利用する
> と良いでしょう。

3 スライドなら太いゴシック体に設定する　W E P

❶ **表示** 内 **スライドマスター** を選択

❷ **フォント** のドロップリストから、
スライドであれば太字のゴシック
体、資料であればメイリオなどを選
択

❸ **マスター表示を閉じる** で編集画面
に戻ると、以降は設定したフォント
がデフォルトになる

> PowerPoint でプレゼンをする場合は太
> いゴシック体が鉄則です。資料として文
> 章を入れる場合には、可読性の高い「BIZ
> UD ゴシック」かメイリオを使用すると
> よいでしょう。

役割に合ったフォントを選ぶ・装飾する

　ここまで、フォントの性質や使い方について簡単にまとめてきました。その上で例えば、ポップ体に代表されるような少し癖のあるフォントは、インパクトはありますが、「読む」ことには適していません。読みやすく、かつ、インパクトを持たせるには、読みやすいフォントを選びながら、シンプルな装飾でメリハリをつけるのが大切です。

 癖があって読みにくい

電子書籍アプリ「カタポケ」で広報みよしを10言語でご覧いただけます。さらに各言語での読み上げも。紙面に掲載できない写真はスライドショーで見ることができ、動画も楽しめます。

HGP 創英角ポップ体

⭕ 読みやすいフォント

電子書籍アプリ「カタポケ」で広報みよしを10 言語でご覧いただけます。さらに各言語での読み上げも。紙面に掲載できない写真はスライドショーで見ることができ、動画も楽しめます。

BIZ UD ゴシック

1 ＜ホーム＞からフォントを選択する　　W E P

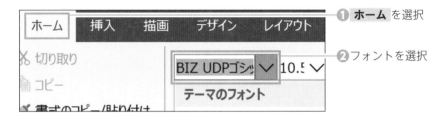

❶ **ホーム** を選択

❷フォントを選択

どのフォントにしようか迷ったら、「ゴシック体」か「UD（ユニバーサルデザイン）」（詳しくは本書p.92を参照）がおすすめです。

2 フォントで強弱をつけてメリハリを出す　W E P

③強調したい場合は「HGP 創英角ゴシック UB」などフォント名の後ろに「B」や「UB」などがつく元から太いフォントを選択

④文字に下線を引くときはCtrl＋U

⑤蛍光ペンを引いたように文字を目立たせたいときは、文字を選択して **ab** を選択（Excel では、セルのぬりつぶし ♦ が近い機能）

3 太くするとつぶれるフォントに注意する　W E P

Juice=Juice リーダー　金澤朋子 **Juice=Juice リーダー　金澤朋子**	Juice=Juice リーダー　金澤朋子 **Juice=Juice リーダー　金澤朋子**	Juice=Juice リーダー　金澤朋子 **Juice=Juice リーダー　金澤朋子**

左画像の文字は「HGP 創英角ゴシック体 UB」です。下段は **B** で太くしていますが、文字がつぶれてしまっています。もともと太いフォントをさらに **B** で太くしてしまうからです。文字を太くしたいときは、元から太いフォントを選ぶか、「メイリオ」（中央画像）や「BIZ UD」（右画像）といった細身のフォントを **B** で太くすると、文字が滲んだり、つぶれたりすることがありません。

✔ CHECK
フォント名についている P は何？

　MS P ゴシックと MS ゴシック、MS 明朝と MS P 明朝の違いをご存じでしょうか。この「P」はプロポーショナルフォントの略で、俗に P 付と呼ばれます。P 付は簡単に言うと、読みやすいよう文字幅が 1 つずつデザインされたフォントで、長文に適しています。P がないフォントは均等に配置されるので、数字などを均等に表示したいときは P 付でないフォントを選びましょう。

> **MS P ゴシック**
> フォント名に [P] なしのフォントは等幅フォントで、文字が全角・半角の等幅で表示されます。フォント名に [P] 付のフォントはプロポーショナルフォントで、欧文やかなの文字幅が可変し表示されます。

> **MS ゴシック**
> フォント名に [P] なしのフォントは等幅フォントで、文字が全角・半角の等幅で表示されます。フォント名に [P] 付のフォントはプロポーショナルフォントで、欧文やかなの文字幅が可変し表示されます。

▲ P の有無で字間が変わる

文字の変形・効果は使わない

　文字は「見る」「読む」ためのものです。そのため、必要以上の情報（色、形状など）が目に入ると、その文字や言葉の理解がもたついてしまいます。文字本来の役割を果たすためには、余計な効果を付与せずにシンプルにしたほうが伝わるデザインになります。ここでは、テンプレートなどで既についている効果を取る方法について説明します。

 余計な要素を入れる

文字は斜めにしない

グラデーションは使わない

反射の効果は使わない

○ シンプルにする

文字は斜めにしない

グラデーションは使わない

反射の効果は使わない

1 斜体は使わない

W E P

❶ **ホーム** を選択

❷ *I* で斜体のオンオフ

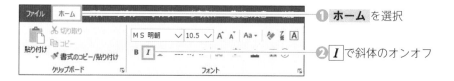

見る文字としてタイトルなどで斜体を使うことはデザイン上ありますが、「読む」文字で斜体にしてしまうと可読性が失われるので×です。

見る文字＝タイトル

見る文字としてタイトルなどで斜体を使うことはデザイン上ありますが、「読む」文字で斜体にしてしまうと可読性が失われてしまいます。

見る文字＝タイトル

見る文字としてタイトルなどで斜体を使うことはデザイン上ありますが、「読む」文字で斜体にしてしまうと可読性が失われてしまいます。

2 文字は単色が鉄則 W E P

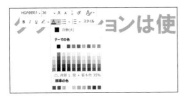

❶グラデーションを解除したいテキストを選択

❷右クリック→ ▲ のプルダウンから色を変更すると単色になる

3 内容に合った文字にする W E P

❶謝罪文に文字の効果を施してしまうと、伝えたい意図とずれが生じる

❷文字の効果や斜体を使わなくても、十分内容が伝わる

✔ CHECK

ワードアートは原則「なし」にする

ワードアートは Word ではホーム内 ▲ から入れることができます。Excel と PowerPoint では **挿入** → **テキスト** → **ワードアート** で入れることができます。公文書では使わないようにしましょう。

文字の輪郭	影	反射	光彩

見やすい表を作る

　表やグラフを作るときは、必ず Excel を使いましょう。表のデザインによって、伝わりやすさが大きく変わります。メリハリがない表は、どこから見れば良いのかわかりにくく、表内で目線が迷子になってしまいます。多くは罫線の幅が同じ、文字のメリハリがない、1 行ごとに薄く下地を入れるなどの配慮をしていないことが原因です。

✖ メリハリがない

施設名	住所	電話番号
金澤総合体育館	段原1100-1	012-345-678X
高木運動公園	稲場1118-1	012-345-679X
宮本公園テニスコート	梁川1120-1	012-345-680X
植村テニスコート	工藤254-1	012-345-681X
宮崎弓道場	松永1120-1	012-345-682X

⭕ メリハリがある

施設名	住所	電話番号
金澤総合体育館	段原1100-1	012-345-678X
高木運動公園	稲場1118-1	012-345-679X
宮本公園テニスコート	梁川1120-1	012-345-680X
植村テニスコート	工藤254-1	012-345-681X
宮崎弓道場	松永1120-1	012-345-682X

1 罫線をつける

W E P

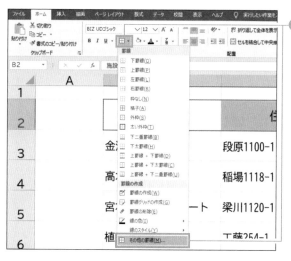

❶表最上部の見出しを選択し、**ホーム** 内 ▦ のプルダウンから **その他の罫線** を選択

2 罫線でメリハリをつける

W E P

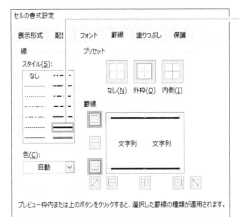

❷ **セルの書式設定** 内 **罫線** で線は太い罫線を、罫線は上と下を選択

❸表最下段の列を選択し、❶と同様に のプルダウンから **下太罫線** を選択

施設名	住所	電話番号
金澤総合体育館	段原1100-1	012-345-678X
高木運動公園	稲場1118-1	012-345-679X
宮本公園テニスコート	梁川1120-1	012-345-680X
植村テニスコート	工藤254-1	012-345-681X
宮崎弓道場	松永1120-1	012-345-682X

❹見出しを選択し**B**で太文字に。Ctrlを押しながら選択すれば、左画像のようにまとめて選択できる

3 色を付ける

W E P

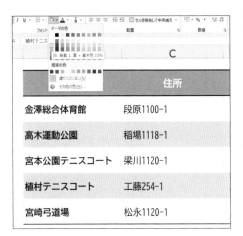

❺表最上部の見出しを選択し、**ホーム** 内 **フォント** の**A**から下地の色を濃いグレーに。文字を選択し、同様の手順で文字色を白に変更

❻1行ごとに下地の色を薄いグレーにする。濃い色を選ぶと文字が見にくくなってしまうので注意

印象深い円グラフを作る

　円グラフは「割合」を伝えるときに適したグラフです。初期設定の円グラフはあまり見た目の良い円グラフとは言えず、細かな修正をする必要があります。ポイントは「色」と「データの見せ方」です。パッと見てわかりやすい円グラフを作成するポイントをご紹介します。

 初期設定のまま　　　 結果がすぐにわかる

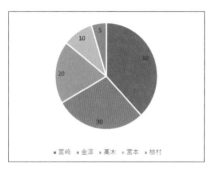

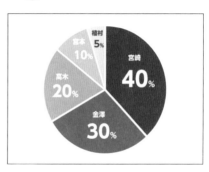

1　＜挿入＞から円グラフを選択する　　　W E P

❶表を選択し 挿入 内 ➡ をクリック

❷ 円 を選択

> まず、円グラフを作る前に、元となる表を作ります。これはデータベースなので、凝ったものを作る必要はありません。

2 色は1色をベースに濃度を変える　W E P

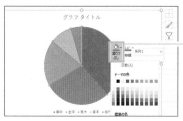

③デフォルトの円グラフが表示される

④グラフ上で右クリック→ **塗りつぶし** を選択

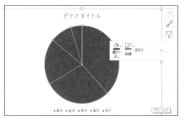

⑤ベースとなる色を1色決める。今回は、紺色をベースにする

> ベースとなる1色は、落ちついていて、なおかつ濃い色にしましょう。そこからどんどん濃度を落として差別化していきます。カラーユニバーサルデザインについては p.96 参照。

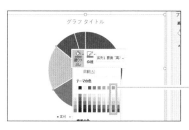

⑥一番割合の大きいものを濃い色で、少ないものを薄い色で塗りつぶしていく

3 テキストボックスで文字を重ねる　W E P

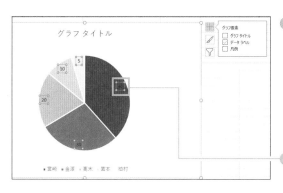

⑦円グラフをダブルクリックし、**グラフ要素** 内 **グラフタイトル** と **凡例** のチェックを外す

⑧テキストボックスで作った項目名と数値を重ねていく。数字がはっきりわかるように単位の%単位を小さくするのがポイント

Chapter 2
3-3
W E P

パッと伝わる
棒グラフを作る

　Office のグラフの初期設定は、無難なデザインになっていますが、ひと手間かけるだけで、ぐっと見やすくわかりやすいグラフになります。棒グラフの長所は数字の大小が一目でわかることです。そこで同じ内容のデータを比較するときに活用します。長所を活かすためには、余計な情報を削除してスッキリさせましょう。

 初期設定のまま

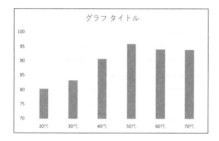

○ 微調整を行う

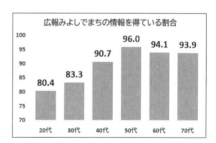

1　<挿入>から棒グラフを選択する　　W E P

❶表を選択

❷ **挿入** 内■をクリック

❸ **集合縦棒** を選択

❹デフォルトの棒グラフが表示される

❺棒グラフ上でダブルクリックし **データ系列の書式設定** を表示

2 見やすく整える　W E P

⑥ **系列のオプション** 内 **要素の間隔** を「40%」に設定

⑦ 棒グラフを右クリック→ **塗りつぶし** のプルダウンから見やすい色を選択

⑧ ➕ をクリック

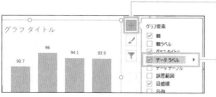

⑨ **グラフ要素** の **データラベル** にチェックをすると、グラフの上に数値が表示される

⑩ **表示形式** は「数値」を選択し、表示する小数点の桁数を設定

⑪ グラフ上の数字をクリックし、**ホーム** タブのフォントから太字のゴシック体にする、文字を大きくするなどして見やすくする、強調したい数値を赤字にするなど調整を行う

3 目盛線を点線に変更し、全体を調整する　W E P

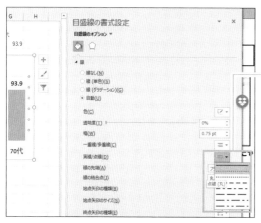

⑫ 目盛線をクリックし、目盛線の書式設定を表示

⑬ **目盛線のオプション** の **線** 内 **実線 / 点線** は「点線」を選択

⑭ グラフのタイトルを入力すれば完成

わかりやすい 折れ線グラフを作る

　折れ線グラフは人口の推移や予算の推移など、年度ごとの数字を時系列で追うときに有効です。初期設定のままだとわかりにくいので、どこが最大値か、どこの数字を一番見てほしいのかがわかるように工夫をしましょう。

 初期設定のまま　　　　 デザインを変える

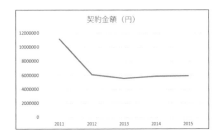

1 ＜挿入＞から折れ線グラフを選択する　　　W　E　P

❶表を選択し **挿入** 内 をクリック

❷ **折れ線** を選択

❸デフォルトの折れ線グラフが表示される

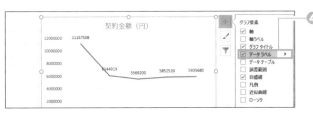

❹ をクリックし **グラフ要素** の **データラベル** にチェックを入れて数値を表示

2 必要な情報を強調する

W E P

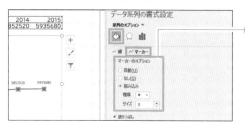

⑤グラフをクリックし **データ系列 の書式設定** を表示。**マーカー** 内 **マーカーオプション** の **組み 込み** から **種類** を「●」、サイズ を「8」にする

⑥グラフ上の数字をダブルクリック し **データラベルの書式設定** を表 示。**表示形式** の **カテゴリ** で「数 値」を選択

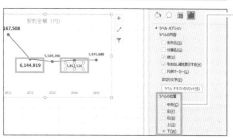

⑦適宜数字の書体や色を調整。文字 を大きくしたら隣の数字と重なっ てしまった場合は、**データラベ ルの書式設定** 内 **ラベルの位置** から上下左右に位置変更する

3 目盛りの単位を調整する

W E P

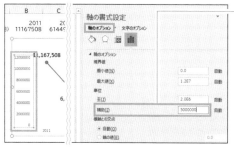

⑧縦軸の目盛りの位をダブルクリッ クし **軸の書式設定** を表示。**軸 のオプション** の **単位** 内 **補助** にキリのいい値を入力。今回は 500万円に設定

⑨タイトルの文字の大きさやバラン スを調整して完成

Chapter 2
3-5
W E P

使いやすい
フローチャートを作る

　フローチャートは、原則2つの選択肢から目的にたどり着くためのルートを築くものです。言葉で説明するよりもシンプルでわかりやすいので、高齢者や子どもなどに説明する資料として便利なツールです。初期設定のままの図形ではなく、手を加えるとよりわかりやすさが増します。

 初期設定の図形　　 工夫を凝らす

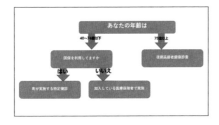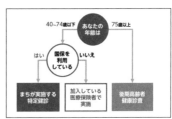

1 円・四角形を選択・配置する　　　　W E P

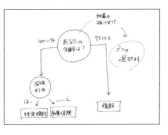

❶ フローチャートを紙に下描きしておく

❷ **挿入** 内 **図形** をクリック

❸ 下描きに沿って図形を配置。今回は円と四角を使う

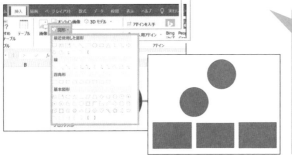

> フローチャートのフォーマットが用意されていますが、かなり手を加えなければ読みにくいので、最初から図形を組み合わせて作るほうが効率的です。また、チャートの最後を四角にすると規則的に見え、文字数も円より多く入力できます。

2 図形→テキスト→矢印の順で作る　　W E P

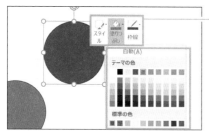

④図形の上で右クリック→ **塗りつぶし** から色を変更。 **枠線** から枠線も同じ色に変更する

⑤枠のみの図形も作り、メリハリをつける

⑥図形にテキストボックスを重ねる（本書 p.90 参照）

⑦ **挿入** 内 **図形** の **線** の中から **コネクタ：カギ線矢印** を選択して矢印を配置

3 選択肢のテキストを配置する　　W E P

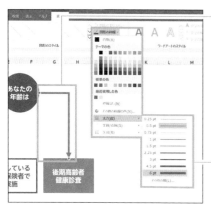

⑧矢印を選択し、 **図形の枠線** から色をグレーに、 **太さ** を6ptにする

⑨選択肢のテキストをテキストボックスで入力し、図形と矢印に近い位置に配置

⑩強調したいところに色を付けたり、太字にしたりしてメリハリをつければ完成

Dr. 佐久間の デザインクリニック

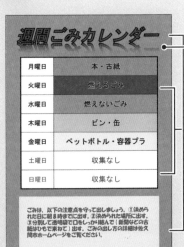

◂◂ **Before**

タイトルで文字の効果を使っている

色で内容を分けようとしている

全てを目立たせようとして、全体がぼやけてしまっている

After ▸▸

サブタイトルをアーチ状にすると、おしゃれになる

ピクトグラムで表現。文字が読めない子どもや外国人に配慮

白黒でスタイリッシュな印象に

要所に英語を入れることで、外国人でも内容を理解できるように

紙面に載せきれない情報などはウェブサイトに掲載し、QRコードで誘導する

Chapter 3

こんなに変わる！

Officeソフト
応用操作編

ここまでくればもう1枚デザインは完璧ですが、より良くする方法もたくさんあります。写真やイラスト、わかりやすい見出しやマークで案外簡単にプロみたいな仕上がりにできます。そして、忘れてはならないのが、全ての人にとって優しいユニバーサルデザインにすること。ここでは、ちょっとした工夫でワンランク上の1枚デザインにするワザをご紹介します。

Chapter 3
1-1
W E P

好きな位置に画像を挿入する

　チラシやポスター、資料などに欠かせないイラストや写真。上手に使うことで、訴求力が上がったり、わかりやすい紙面に生まれ変わります。しかし、Word では特に、文章がずれてしまったり、自分の求めている位置に置けないことがよくあります。配置方法をしっかり覚えましょう。

❌ **折り返しされていない**

⭕ **適確な折り返し**

1　＜挿入＞から画像を選択する　W E P

❶ **挿入** 内 **画像** から挿入したい画像を選ぶ

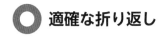

画像ファイルをドラッグ＆ドロップで挿入することもできますが、Word の場合、挿入から画像を選択したほうが、そのあとの設定がしやすいのでお勧めです。

2 ＜文字列の折り返し＞で＜四角形＞を選択 **W E P**

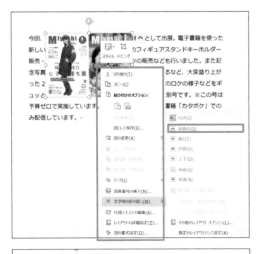

❷画像を右クリック→ **文字列 の折り返し → 四角形** を選択

❸位置を調整する

文字が画像に重ならないようには じかれていき、面が合うように画 像が配置されます。ずれがないの で、綺麗な紙面になります。

＜文字列の折り返し＞は、＜四角＞か＜前面＞だけ覚えま しょう。ほかはまったくと言っていいほど使いません。

3 文字をずらす必要がないときは **W E P**

文字をずらす必要がなく、自由に 画像を配置したいときは＜文字列 の折り返し＞から＜前面＞を選択 します。通常は磁石のＳ極とＮ極 のように文字ははじかれますが、 前面もしくは背面を選ぶと文字は 固定されたままで画像を自由に配 置できます。

画像を自由に
拡大・縮小・移動する

　Office で図形を描いたり、画像を配置したりするとき、適当に伸縮してしまうと形が歪んだり、崩れたりしてしまいます。そこで Shift の出番です。Shift を押しながら拡大・縮小すれば、形状を保持したままで大きさを変えることができます。

✖ 円がゆがんでいる　　　　⬤ 正円で綺麗な丸形

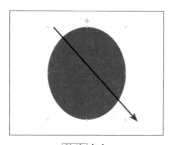

Shift なし

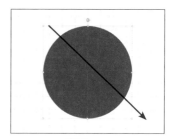

Shift あり

1 図形を挿入する　　　　　　　　　　　　W E P

❶ 挿入 内 図形 を選択

Office の図形や画像を変形させるときには Shift を押しながら拡大・縮小をする癖を必ずつけましょう。

2 Shift で形状を保持したまま拡大縮小　W E P

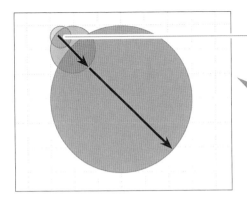

❷ Shift を押したまま図を
伸縮させる

Officeのデフォルト（初期設定）の図形の色は、右画像のようなくすんだ地味な色が多いので、初期設定の色ではなく、紙面にあった色を選びましょう。

3 水平・垂直方向に移動　W E P

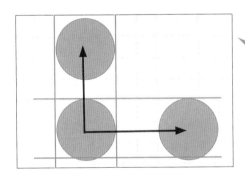

Shift を押したまま縦横に動かすと水平・垂直方向に図形を移動させることができます。綺麗にそろい規則性があるので、見やすさ、わかりやすさに繋がります。

＋ PLUS α
Adobe ソフトでも使える

Shift を押しながら操作することで、形状を保持したまま拡大・縮小、水平・垂直方向への移動ができますが、実は Office 製品だけでなく、Adobe のソフトでも同様に使えます。

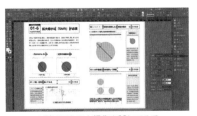

▲別ソフトでも操作を試してみる

画像を正円に切り抜く

画像を丸くしたいときは、トリミングをします。ここで注意することは、楕円はバランスが悪く美しく見えないので、「正円」にすることです。また、Officeのデフォルトを使うと、輪郭のぼかしなど効果が入りますが、自分でトリミングをしてシンプルにしたほうが美しいです。

❌ **デフォルトの図形を使用**

⭕ **正円なので美しい比率**

1 画像を挿入する   W E P

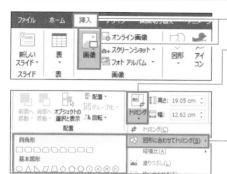

❶ **挿入** から **画像** を選択し、画像を挿入

❷ 挿入した画像をダブルクリックすると、上部が画像を調整するツールバーに切り替わるので **トリミング** のプルダウンを開く

❸ **図形に合わせてトリミング** から今回は **円** を選択

> 写真や画像の印象を変えるために、被写体や物をズームするなど工夫をすると訴求力が向上します。そのために使うのが「トリミング」です。上手に使いこなせれば、紙面のセンスをグッと上げられます。

2 画像を図形にはめ込む `W` `E` `P`

❹円になったが、楕円だとあまり綺麗
ではないので、再度 **トリミング** の
プルダウンを開く

⊡ 配置 ▼	🖼	⬆️ 高さ: 19.05 cm ↕
回 グループ化 ▼	トリミング	幅: 12.62 cm ↕
⚄ 回転 ▼		

| ⊞ トリミング(C) |
| ⬡ 図形に合わせてトリミング(S) ▶ |
| 縦横比(A) ▶ |

四角形	塗りつぶし(L)
1:1(1)	枠に合わせる(I)
縦	

❺ **縦横比 → 1:1** を選択

3 画像位置を調整して配置 `W` `E` `P`

❻プレビューが表示されるので上下左
右バランスよく配置する

画像の上に文字を重ねる

　画像の上に文字を重ねると、文字が見にくく読みにくい場合があります。その原因には「文字が細い」「文字に影を付けていない」などがあります。袋文字にしてもよいですが、文字が強調されすぎて、p.58 でも示した通り、場合によっては写真の世界観を損なうことになりかねません。そこで、ここでは影を使って見やすくする方法を紹介します。

 文字が細い　　 太いフォント＆影を使用

1　文字の効果で影を付ける前準備をする　　W E P

❶影を付けたい文字を選択

❷太いゴシック体をフォントに設定し、適切なサイズにする

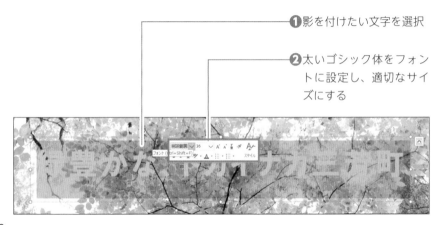

2 影をつける

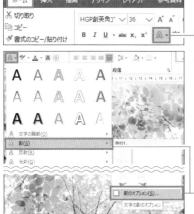

❸ **ホーム** を選択

❹ Ⓐ をクリック

> 効果では文字の輪郭（袋文字）や影、文字を反射させたりすることができますが、安易に使うと逆に見にくくなるので、使う効果は最小限にしましょう。

❺ **影** から **影のオプション** をクリック

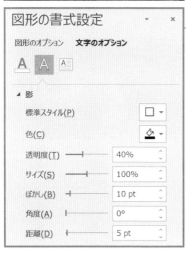

❻右に **図形の書式設定** が表示されるので、それぞれ左の画像の通りに設定し、設定を閉じて完成

✔ CHECK

写真に袋文字を重ねてはダメ？

　袋文字にすると文字がくっきりとして見やすくなる一方で、写真よりも目立ってしまい、雰囲気を壊してしまう場合があるので注意が必要です。また、本文を写真に重ねる場合は、黒の図形（四角形、枠なし、透明度70％）を用意し、その上に白で文字を重ねることで、文字の効果を使用せずに可読性を守れます。

▲地の文も読みやすく

写真から人物や物を切り抜く

画像から人物や物などを切り抜くためには Photoshop などの専用ソフトが必要だと思っている方が多いかと思います。実は Office のソフトで、切り抜きをして透過ファイル（PNG 形式）で書き出しができます。透過すると余白ができるので、大胆なデザインレイアウトができるようになります。

 背景がある写真　　 切り抜きで合成できる

1 画像を挿入する　　W E P

❶ 挿入 から 画像 を選択

❷画像を挿入し、ダブルクリック

> 画像を切り抜いたものを配置すると、余白がたくさんできるので、デザインの幅が広がります。また切り抜き画像はプロっぽい印象を与えるというメリットがあります。

2 背景を削除する

W E P

❸ **背景の削除** を選択する

❹ 自動で切り取られる

❺ 体の部分まで切り抜かれているので **保持する領域としてマーク** をクリックし、保持したい箇所を選択

❻ 境界線の切り抜きが甘いときは **削除する領域としてマーク** をクリックし、切り抜きたい箇所を選択

❼ **変更を保存** で切り抜きの完成

3 PNG形式で透過画像を保存

W E P

ファイル名(N):	切り抜き画像		
ファイルの種類(T):	PNG ポータブル ネットワーク グラフィックス形式		
作成者: 佐久間 智之	タグ: タグの追加	タイトル: タイトルの追加	

∧ フォルダーの非表示　　　　　　　　　ツール(L) ▼ 保存(S) ▼ キャンセル

❶〜❼までは Excel でも操作可能ですが、PNG 形式での保存は同様の操作ではできません。

❽ 画像を右クリック→ **図として保存** を選択

❾ ファイルの種類を **PNG ポータブルネットワーク グラフィックス形式** で保存したら透過ファイルの完成

シンプルでも目立つ 見だしタイトルを作る

　タイトルを強調したいときに図形の「巻物」「リボン」「立体の四角形」の中にメインタイトルを入れ、その上にサブタイトルを入れるデザインがあります。ただ、これらよりもサブタイトルを囲い、メインタイトルは何も装飾しないほうがスタイリッシュで見やすくなります。

 メインタイトルを囲う

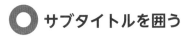 サブタイトルを囲う

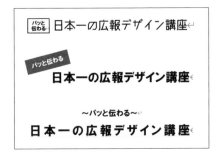

1 図形を選択する　　　　W E P

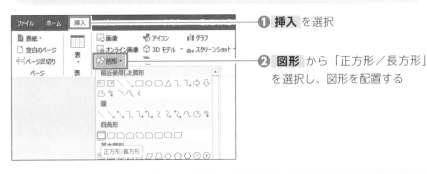

❶ **挿入** を選択

❷ **図形** から「正方形／長方形」を選択し、図形を配置する

　テキストボックスで文字を入れることもできますが、図形の中にも文字を入れることができます。その場合、枠線と上下左右の文字の間隔が文字数によってはずれてしまって綺麗に見えない場合があるため、図形の枠とテキストボックスの文字の2つを合わせたほうが結果的に作業が早くなります。

2 図形の中にサブタイトルを入れる　　W E P

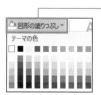 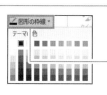

❸❷の図形を選択し、**書式** 内 **図形の スタイル** から **図形の塗りつぶし** で 「白」を選択

❹同様に、**図形の枠線** で「黒」を選択

❺図形の上で右クリック→ **テキストを 追加** を選択

❻サブタイトルを入力。四角の場合は 2行くらいに収まるように調整

3 メインタイトルを配置する　　W E P

❼ **テキストボックス** で作ったメイン タイトルを❻の横に配置。サブタイト ルが長文の場合は、メインタイト ルの上に配置する

 POINT

サブタイトルをシンプルにするなら

　サブタイトルをシンプルにする場合、 寂しい印象になるので、**図形** から線を 選び、メインタイトルの背面に黄色で太 い線を引くとおしゃれな印象になりま す。

▲下線と文字は重ねて＆黄色がオシャレ

重ね文字の見だしを作る

タイトルや見出しは「大きく太く」と説明してきましたが、よりおしゃれな雰囲気にするには「文字を重ねてずらす」テクニックが有効です。文字の効果で影を入れて加工することもできますが、ここではしません。なぜなら、重ねてずらすほうが簡単かつ直感的に作ることができるからです。

✖ 印象的ではない

● おしゃれな印象に

> ひとりで生きられそう
> **ひとりで生きられそう**
> ひとりで生きられそう

> ひとりで生きられそう
> ひとりで生きられそう
> ひとりで生きられそう

1 使いたいフォントを選ぶ　　　　W E P

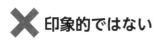

◀ マキナス / フリーフォント。近未来感や若々しい印象を与えます

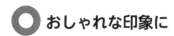

◀ HG 創英角ゴシック UB/ 太く大きいので見やすく万能なフォントです。

ワードアートは効果が多い分見にくいため、極力使用は控えて、シンプルでもおしゃれなタイトルを自作しましょう。今回は、マキナスというフリーフォントを使って、おしゃれなタイトルを作ります。

2 文字に黒の輪郭を引く　W E P

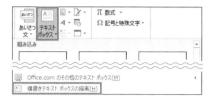

❶ **挿入** 内 **テキストボックス** から **横書きテキストボックスを描写** を選択し、「マキナス」で文字を入力

❷❶を Ctrl + C → Ctrl + V でコピー＆ペースト

❸コピーのほうの文字を選択→ **ホーム** 内 **フォント** 右下の▣をクリック

❹ **フォント** 内 **文字の効果** を選択

❺ **文字の輪郭** 内 **線(単色)** にチェック

❻透明度を０％に、幅は適宜調整して **OK** を選択

3 白抜きの文字を元の文字に重ねてずらす　W E P

❼❸の文字を選択→右クリック→🅰のプルダウンから「白」を選択

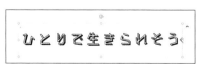

❽❼で作った白抜きの文字を元の文字の上に少しずらして重ねる

> 元の色（影になる部分）をパステルカラーにするとよりおしゃれな印象になります。

アーチ状の見だしを作る

　ちょっと可愛らしい雰囲気のロゴを作りたいとき、優しい印象を与えたいときには、丸みを帯びたデザインが効果的です。文字をむやみに変形させることはあまり良くないですが、ポイントで変化をつけるとプロっぽくなります。紙面づくりの幅が広がるので、ワードアートで文字をアーチ状にする方法を取得しておきましょう。

✖ 直線的で固い印象

● アーチ状で柔らかい印象

1 文字をアーチ状にする　W E P

❶ アーチ状にしたい文字を入力したテキストボックスをダブルクリック

❷ **文字の効果 → 変形** から **枠線に合わせて配置** 内の上向きのアーチを選択

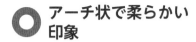

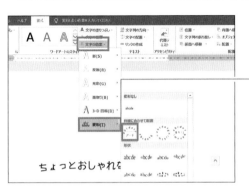

❸ オレンジの点を上下に動かすとアーチの角度が変わるので、全体のバランスを調整して配置

2 文字の下にアーチ状の点を配置する① W E P

❹❸をコピー&ペーストする

3 文字の下にアーチ状の点を配置する② W E P

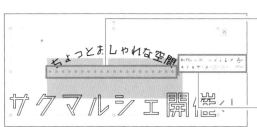

❺❹の文字を「・・・」に変える。「・」の数はサブタイトルの文字数と同じにする

❻❺の文字を選択し右クリック→▲のプルダウンボタンから全体の雰囲気に合う色に変更

❼全てのテキストボックスをグループ化(本書 p.89 参照)で可愛らしいロゴの完成

✔ CHECK

ワードアートがなくなった？？

　最新の Office では、以前あったワードアートギャラリーはなくなり、文字の効果で変形をする形になりました。上手に使いこなすことができれば、とても簡単に見た目もおしゃれな形の文字を作ることができます。ただし、本文やタイトルの文字を変えたりするのはご法度。あくまでも印象を少し変えるスパイス程度に考えて活用しましょう。

▲なつかしのワードアート

日時マークを作る

イベントのチラシなどで、開催日時を目立たせるために文字を大きくしているものを見かけますが、それだけだと少し物足りません。円の中に日時を入れたマークにするほうが、より効果的に目を引き付けます。また、月・日などの単位を小さくし数字を強調するようなデザインにすることでより訴求力が向上します。

✖ ただ囲っただけ

インパクトに欠ける

⬤ 円の中に日時を入れる

メリハリがあり目立つ

1 メリハリをつけていく W E P

❶テキストボックスに必要な情報を入力する。このとき、一番重要な日時の数字を強調するために、月・日の単位、曜日、開始時間を小さくし、日時の数字を太くする

❷テキストボックスの枠の上で右クリック→ **枠線** から **枠線なし** を選択

❸ **挿入** から **図形** 内「円」を選び、Shift を押しながら適切な大きさの正円にする

2 円のデザインと色を変える W E P

❹円を右クリック→ **最背面へ移動** を選択して文字と重ねる

❺円を右クリック→ **枠線** から **線なし** を選択

❻円を右クリック→ **塗りつぶし** から色を調整。文字の色は下地の色が濃いときは白に、薄いときは黒にする

3 グループ化して固定させる W E P

❼Ctrl を押しながら図形の円と中のテキストの全ての要素を選択して右クリック

❽ **グループ化** 内 **グループ化** をクリック

❾完成。図形とテキストボックスが結合された

👍 POINT
図形に直接テキストを追加するのはだめ？

図形の中に直接テキストを追加して文字を入れることはできますが、バランスよく配置するのが難しいです。図形の上にテキストを重ねる方法のほうが、直感的に作業ができるのでおすすめです。

Chapter 3
2-5
W E P

危険マークを作る

　人間は遺伝的に「黄色と黒」に危機感を感じます。諸説ありますが、昔先祖が蜂に襲われた記憶があるからともいいます。また、棘や先端が尖っているものを見ると落ちつかない心境になりますよね。これらの心理的要素を逆手にとって、危険を知らせるためのマークを作ってみましょう。

 文字だけ

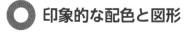 印象的な配色と図形

危険という文字だけ認識

焦燥感を感じさせる

1 図形を配置していく
W E P

❶ **挿入** → **図形** → **星とリボン** 内ギザギザの図形（「星32」など）を選択（図形の中の数字はギザギザの頂点の数）

❷ Shift を押しながらドラッグし、適切な大きさの図形を作る

❸図形を右クリック→ **塗りつぶし** から黄色を選択

❹図形を右クリック→ **枠線** から線なしを選択

2 ギザギザのバランスを調整する　W E P

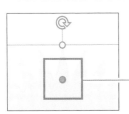

❺文字をテキストボックスで入力し、図形の中央に配置。このとき、テキストボックスの **塗りつぶし**・**枠線** ともに **なし** を選択

❻図形上部にオレンジの点が表示されている。このオレンジの点を動かすことでギザギザのデザインを変えられる

❼ちょうどよいバランスのギザギザにして、テキストと図形をグループ化（本書 p.89 参照）したら完成

3 応用編　W E P

❽❶〜❹の手順に準じて左画像のような三角形を作る

❾図形を右クリック→ **枠線** → **太さ** から線を太めに、枠線の色を黒にする

❿テキストボックスに「！」を入力し、適宜大きさを変えて三角形の中央に配置

⓫よく目にする注意勧告マークの完成

＋ PLUS α
図形を変形させて印象を変える

　図形によっては、形状を微調整することができます。あえて尖りを強くして突き刺すような印象を与えて、危機感を煽ることを狙うのも良いでしょう。

危険↵　　　危険↵

▲柔らかい印象　　　▲きつい印象

読みやすい UDフォントを使う

　ディスレクシアをご存じですか。発達障害の中の学習障害（限局性学習症）の一種に近い分類で「字を読むことに困難がある障害」のことを意味します。日本では「難読症」とか「読字障害」と呼ばれることもあります。読むことができないと書くことも難しくなることから、「読み書き障害」と呼ばれることもあり、20人に1人の児童がディスレクシアだと言われています。

✕ 突き刺さる印象
誤った画数を覚える

〇 ディスレクシアへ配慮
正しい画数やハネ

MS 明朝

UD デジタル教科書体

1 UDフォントはWindows10に標準装備　W E P

> **< Windows10に標準搭載しているUDフォント>**
> **ゴシック体**…BIZ UD ゴシック / BIZ UDP ゴシック
> **明朝体**…BIZ UD 明朝 / BIZ UDP 明朝
> **教科書体**…UD デジタル教科書体 N / UD デジタル教科書体 NP /
> 　　　　　　UD デジタル教科書体 NK

UDフォントとはユニバーサルデザインフォントの略称です。多くの人々が利用しやすいよう、ユニバーサルデザインのコンセプトに基づき作成されています。読みやすく見やすいフォントとして、高速道路の看板や成分表示など多くのシーンで活用されています。正確な情報伝達が必要な公共文書にこそ、「見やすい」「読みやすい」「間違えにくい」UDフォントが効果を発揮します。

2 エビデンス(科学的根拠)のあるフォント　W E P

教科書体の見やすさに関する比較実験

慶應義塾大学 中野 泰志 教授【対象書体：教科書体・明朝体】

国語
見にくい ◀　　　　　　　　　　　　　　　　　　　　　見やすい ▶

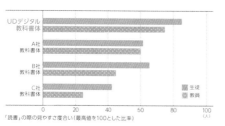

「読書」の際の見やすさ度合い(最高値を100とした比率)

▶ **デジタルデバイス(タブレット)での**
見やすさの検証 ◀

縦組み(科目：国語)・横組み(科目：社会)で、UDデジタル教科書体と他社教科書体をタブレット画面で比較し、一対比較法を用いて、それぞれの見やすさを検証しました。
いずれの評価においても「UDデジタル教科書体」が最も見やすい書体となりました。

▶ **紙に印刷したサンプルでの**
読みやすさの調査 ◀

日本全国の視覚支援学校に在籍している高校生42人へのアンケートとヒアリング調査、弱視教育に携わっている教員・専門家65人へのアンケート調査、全国の視覚支援学校で弱視の生徒を担当している教員104人へのアンケート調査を実施しました。
弱視生徒にとっても、教員からみても、弱視児童生徒の読書に「UDデジタル教科書体」が最も適した書体という結果を得ました。

ディスレクシア(読み書き障害)のある小学生を対象にした読みやすさの検討

大阪医科大学 LDセンター 奥村 智人 氏【対象書体：教科書体】

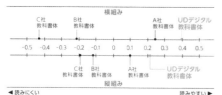

◀ 読みにくい　　　　　　　　　　　　　　　読みやすい ▶

読みに困難さがある小学生2〜6年生26人を対象とし、UDデジタル教科書体を含む4種類の教科書体で縦組みと横組みの文章を作成し、一対比較法を用いた主観的読みやすさに関する検討を行いました。
縦組み・横組みともに「UDデジタル教科書体」が一番読みやすい書体として子どもたちに選ばれました。

出所：日本眼鏡学会「眼鏡学ジャーナル　第21巻 第2号」に掲載

＋ PLUS α
申請書も UD で社会的配慮

　著者が所属していた埼玉県三芳町では、教育部局も含めてすべてのPCにUDフォントを導入し、起案や資料などすべてにUDフォントを使用することを内規でルール化しました。申請書について、UDフォントとUDではない一般的に使われるフォントとどちらが見やすいか調査した結果、247票中、UDフォント212票(86%)、一般的フォント35票(14%)という結果が出ました。

非言語で伝わる ピクトグラムを使う

近年、訪日外国人数や外国人在住者が増加しています。日本語がわかる外国人ばかりではないことが問題としてあるため、文字だけの情報伝達ではなく、パッと見てわかるようなデザインが必要となります。ピクトグラムを使うことで、文字がわからなくても直感的に理解してもらえるデザインが実現できるほか、優しい印象を与えることができるので利活用しましょう。

 文字だけの情報伝達 　　○ ピクトグラムを使う

右に行ったらトイレ
があります。オムツ
台もあって車いすも
使えます。

日本語がわかる人にしか伝わらない

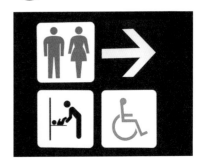

言葉が分からなくても伝わる

1 ピクトグラムでわかりやすくなる　　W E P

コスト削減	声の広報	合理的配慮
外国人対応	スライドショー	PC閲覧可
スマホ対応	UDフォント	KPI・PDCA

▶

¥ コスト削減	◁)) 声の広報	合理的配慮
外国人対応	スライドショー	PC閲覧可
スマホ対応	UDフォント	KPI・PDCA

文字だけだと、堅苦しい印象がありますが、ピクトグラムを使うことで柔らかい印象に変わります。さらにピクトグラムでイメージが先に浮かぶので、直感的に情報が伝わります。ピクトグラムの画像は p.17 で紹介した「ICOON MONO」を活用するのがおすすめです。

2 表を作り画像を入れていく　W E P

❶ **挿入** から **表** を選択

❷ 行と列数を選択。PowerPoint の場合、デザインというタブが出てくるので、そのうちの **表のスタイル** から適切なものを選ぶ。今回は最もシンプルなものを選択

❸ 表の大きさを調整し、表内の文字を入力

❹ **ホーム** 内 **段落** の⏷をクリック。**インデントと行間隔** 中 **インデント** の数値を変更してピクトグラムを入れるスペースを作り、**行間** もここで調整

❺ **挿入** → **図** からピクトグラムの画像を挿入。大きさ、画像と文字の配置を調整

❻ 一旦画像を配置するところすべてに❺をコピー＆ペーストしていく

3 画像を入れ替えて完成　W E P

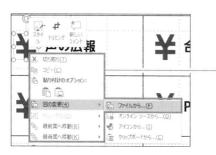

❼ 変更したい画像を右クリック

❽ **図の変更** → **ファイルから** を選択し、変更する画像を選択
※使用予定の画像を集めたフォルダを作っておくと便利

カラーユニバーサルデザインの知識をもつ

　日本では男性の 20 人に 1 人、女性の 500 人に 1 人が色弱者（色覚異常・色盲・弱・色覚障害・色覚特性など）だといわれます。多様な色覚を持つ人たちに配慮した色使いをすることを「カラーユニバーサルデザイン」といいます。平成28 年施行の「障害を理由とする差別の解消の推進に関する法律（通称：障害者差別解消法)」により、公務員には合理的配慮をする義務が定められています。

✕ 強調したいから赤

赤と緑は見にくい
赤と青は見にくい↵
↵

◯ 下地の色に沿った配色

緑と白は見やすい
青と白は見やすい↵
黄色と黒は見やすい↵

1 カラーパレットを知る　Ⓦ Ⓔ Ⓟ

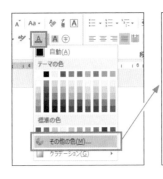
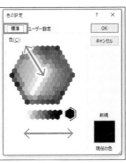
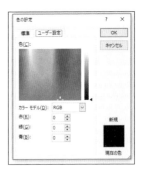

　カラーパレットにある色以外を使用したい場合は、**その他の色** を選択します。**色の設定** 内 **標準** のカラーパレットでは中心は明るく、外側に行けば行くほど暗くなっています。明るさの差のことをコントラストといいますが、コントラストが大きいほど配色のバランスは良くなります。例えば、黒の下地には白い文字がハッキリ見えるなどです。

2 コントラストがぼんやりしている場合 　W E P

何も配慮していない配色

距離が手前に感じる色を「進出色」といい、赤を中心とした暖色系がそれにあたります。左画像のように赤と濃い色だと、コントラストの差がないので見にくくなります。

色覚障がいのある人の見え方

コントラストがはっきりしていない緑と赤は同系色となり、見にくくなります。

3 コントラストがはっきりしている場合 　W E P

配慮した配色

コントラストの差がハッキリした配色にすることで、文字をしっかりと読むことができます。

色覚障がいのある人の見え方

コントラストがはっきりしていると、色覚障がいのある人も見やすいです。

✔ CHECK

赤と緑の併用には要注意

色覚弱者（P型、D型など）への配慮として「赤と緑」の組み合わせは最も悪いことを認識しましょう。また、「青と紫」「薄いピンクとグレー」「緑と茶色」「黄色と黄緑」などの組み合わせも色覚弱者にとっては判別しにくいため、しっかりと配慮しながら色を選びましょう。

	一般	P型	D型
青と紫	●●	●●	●●
水色と薄桃	●●	●●	●●
緑と茶色	●●	●●	●●
濃赤と焦茶	●●	●●	●●
赤と緑	●●	●●	●●
黄色と黄緑	●●	●●	●●

▲色覚弱者の見え方

強調文字を
バリアフリー化する

　文字を強調するときに、安易に色をつけてしまいがちですが、すべての人が色を認識できるとは限りません。色だけではなくプラスアルファの工夫と配慮をすることで、文字のバリアフリー化に繋がり、優しいデザインとなります。

✖ 工夫や配慮がない

これからの公務員はデザイン思考と編集力が必要である。

これからの公務員はデザイン思考と編集力が必要である。

これからの公務員はデザイン思考と編集力が必要である。

強調したいポイントの色を変えただけ

⬤ 色だけに頼らない

これからの公務員はデザイン思考と編集力が必要である。

これからの公務員はデザイン思考と編集力が必要である。

これからの公務員はデザイン思考と編集力が必要である。

どこがポイントか一目でわかる

1 色覚弱者にも配慮する

これからの公務員はデザイン思考と編集力が必要である。

これからの公務員はデザイン思考と編集力が必要である。

これからの公務員はデザイン思考と編集力が必要である。

▶

これからの公務員はデザイン思考と編集力が必要である。

これからの公務員はデザイン思考と編集力が必要である。

これからの公務員はデザイン思考と編集力が必要である。

赤の色素の判別が困難なP型の人には右のようにくすんで見え、あまり目立ちません。どこを強調しているのかが明確にわかるようにデザインすることも配慮のひとつになります。

2 強調する3つの方法とポイント

A　明朝体の文を一部強調したいときは太いゴシック体を使う

❶強調したい文字を選択

❷ **ホーム** を選択。強調するときは太いゴシック体を選択するだけでOK。今回は HGP 創英角ゴシックUB を選択。メリハリがつき、印象的になった

B　赤色で文字を強調するだけでなく、下線を引く

❶強調したい文字を赤色にしても、色覚弱者にとってはコントラストの差がないので、認識しにくい

❷ **ホーム** を選択

❸強調したい文字を選択

❹ U を選択すると下線が引かれ、色に頼らず文字を強調できた

C　強調するところの下地に色を塗り、文字を浮きたたせる

❶太字にした結果、文字がつぶれて見にくい場合は全体を細い UD ゴシックに変更

❷ **ホーム** を選択。強調したい文字を選択→ から黒を選択。再度文字を選択→ から文字の色を白にすると、文字がはっきり強調される

パターンでグラフを
バリアフリー化する

　色覚弱者にとって、色での判別が難しいのはグラフも同様です。同じような色が隣り合わせになっていると、境界線がわからないといった問題が生じます。そこで、塗りつぶしではなく、ドットや斜線などのパターンを用いたデザインをすることで、色覚弱者への配慮ができます。

✖ 初期設定のまま

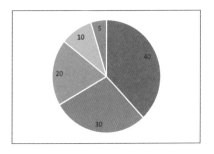

数字が見えにくい

⭕ パターンを使う

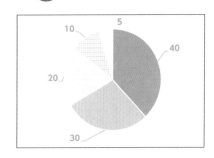

色以外での識別ができる

1 色覚弱者にも配慮する　　　　W E P

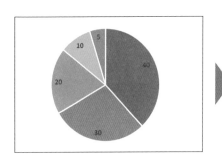

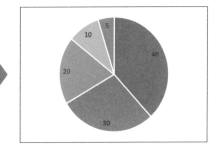

赤の色素の判別が困難なP型の人には右の画像のように、オレンジが茶色く見え黄色と混在しやすくなっています。パターンを使うことで、色ではなく、形状で判別できます。

2 塗りつぶしをパターンに変える　W E P

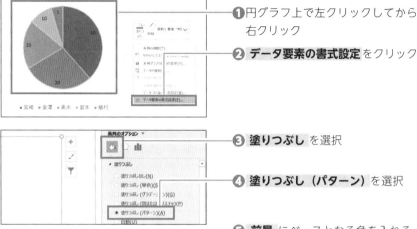

❶円グラフ上で左クリックしてから右クリック

❷**データ要素の書式設定** をクリック

❸**塗りつぶし** を選択

❹**塗りつぶし（パターン）** を選択

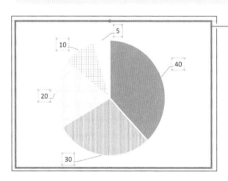

❺**前景** にベースとなる色を入れる。今回はエメラルドグリーン

❻一区画ごとに選択し、パターンを配置していく

3 数値をグラフの外に出して調整する　W E P

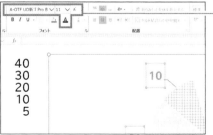

❼パターンと数値が重なっていると見にくいので、数字をドラッグしてグラフ外に配置していく。自動で線が伸びる

❽数字を円グラフの色と合わせるとスタイリッシュに。太さや大きさを書式から変更することで伝わりやすさがグッと上がる

Dr. 佐久間の デザインクリニック

◂◂ **Before**

写真を全面に使っていないので
インパクトに欠ける

細い明朝体を使用しているので
弱弱しい印象

文字の強弱が少ないので平坦な
印象

After ▸▸

全面写真なので、印象に残る

目次を、ファッション誌のように配置することで、単なる紹介文ではなく、写真や表紙を華やかにするおしゃれな装飾に変わる

太いゴシック体の文字なので一目で何の特集かがわかる

イチオシの情報を大きく太くすると、読み手にも優先順位が伝わる

W E P

Chapter 4

見よう見まねで完璧！
Officeで作るデザイン
実践編

1〜3章で、住民の皆さんにパッと伝わる、わかり
やすい1枚の作り方の技術を余すことなくお伝えし
てきました。ここでは、その技術を活かしながら、
具体的にどういう作成手順を経て私が1枚デザイン
を作っているかお見せします。最初は真似をして、
1枚デザインの手順を身につけてから、どんどんオ
リジナルの1枚デザインを作っていってください。

イベント集客用
告知チラシ・ポスター

より明るく
動きをつける

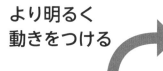

NG例：なんとなく暗い

使用フォント：BIZ UDP ゴシック・メイリオ

✔ CHECK

Word は図形や文字をロックできない

　Adobe の Indesign などのデザインソフトでは、図形や文字などを固定させる「ロック」ができます。しかし office のソフトでは基本的にロックができないので（PowerPoint は「スライドマスター」（本書 p.128 参照）を活用することでロックと同じ効果が可能）、意図しない図形を選択してしまったりすることがあります。Word でチラシなどを作成するときには、下地となるファイル、テキストを入れるファイルの2つのファイルを使い、最後にコピー＆ペーストを活用して重ねる方法が効果的です。

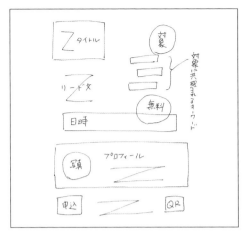

❶ 印象的な言葉は 上部に配置する

イベントに参加したいと思ってもらうためには「自分事」に思ってもらうことが重要です。そこで、目に留まりやすい紙面上部に対象者に訴求する「こんな悩みありませんか」というコピーをちりばめることで共感が生まれます。上から下に見ていくことを意識したレイアウトにして下描きをします（本書 p.20 参照）。

❷ 下地の色を決める

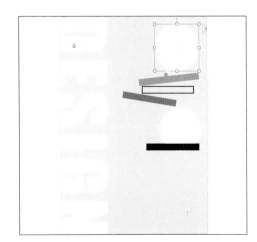

まず、Word ファイルを 2 つ開きます。1 つ目の下地作りです。**デザイン**（古いバージョンの場合は **ページレイアウト**）からテーマを選択したら、**ページの色**から色を選択します。今回は意欲的かつオシャレな雰囲気にするため、黄色を選択します。

❸ 下地に図形を入れていく

❷で作った下地に図形を入れていきます。このとき大切なのは、❶の下描きに沿って図形を配置していくことです。

❹ 2つ目のファイル は文字中心に

もう1つのファイルに移動して、「文字情報」をテキストボックスで入力していきます。ここでは配置などは無視して、とにかく入力したい情報を項目ごとに入力していきます。

❺ 下地に文字を重ね ていく

❸で作った下地のファイルに❹で作ったテキストボックスをコピー＆ペーストで重ねていきます。ここで初めて文字の大きさやバランスを細かく調整します。テキストボックスの線は残しておくほうが作業上わかりやすいので、そのままです。

❻ トリミングした 写真を配置する

写真を配置します。今回は円形の写真にしたいので、本書 p.76 で紹介した写真を正円にトリミングする方法で処理をします。

❼ 配置を整える

本書 p.48 で説明したグリッドシステムを活用します。今回は面を合わせるため、テキストボックスを左揃えにします。

❽ テキストボックスの線を取る

Ctrl + A ですべてのテキストボックスと図が選択されます。写真の選択を Ctrl を押しながらクリックして外します。残ったテキストボックスのいずれかの枠線の上で右クリック→ **枠線** から **枠線なし** を選択します。

ちょっとしたことで印象が変わる！

背景文字を変化させ、賑やかな印象に

メインの色を水色にして落ちついた印象に

メインの色をピンクにして読むよりも「見る」を重視

保育所・学童保育室
入所受付案内書

画像を効果的に配置

NG例：写真が効果的でない

使用フォント：BIZ UDP ゴシック・UD デジタル教科書体

✔ CHECK

アイキャッチを使いこなす

　駅のポスターなどで目に留まるものの多くは「人物」や「キャッチコピー」が大きく表示されています。このように人の興味や注意を惹くために工夫をすることを「アイキャッチ」といいます。子育て世代に訴求するなら子どもや赤ちゃんの写真を大きく使うなど、パッと見て関心を持ってもらうための工夫をします。まずは注意をひき、続いてじっくりと読んでもらうという2つのプロセスがあることを認識しましょう。

▲赤ちゃんにパッと目が行く

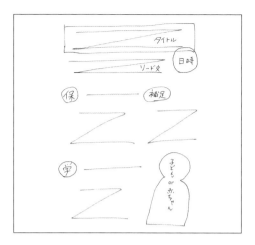

❶ 説明が多いときほど写真を大きく使う

お知らせのチラシはどうしても説明が多くなって、パッと見たとき「うわ！ 文字ばっかり」と敬遠されがちです。そこで、大きく写真を配置したり、その分無駄な文章を削ったりしてすっきりわかりやすいデザインにしましょう。そこを意識して下描きをします。

❷ トリミングで画像を切り取る

トリミングの方法は本書 p.80 をご参照ください。

❸ 下地の背景色を決める

デザイン → **ページの色** から写真のイメージに合った背景色を決めます。今回は幼い子どもの写真がメインなので優しい温かな印象がある暖色系を選択しています。この後文字を配置していくことを考えて、薄めの色を選択しました。

❹文字情報だけの ファイルを作る

テキストボックスに必要な情報を項目ごとに入力していきます。このとき、細かな文字の大きさや太さ、フォントの種類などは無視して、項目を１つのパーツとして考え、どんどん入力していきます。

❺下地に文字を重ねていく

❹で作成した文字を❸にコピー＆ペーストで配置していきます。大まかな配置が終わったら、大見出し、小見出しなどの「ジャンプ率」（本書 p.22 参照）に注意してメリハリのある紙面にしていきます。

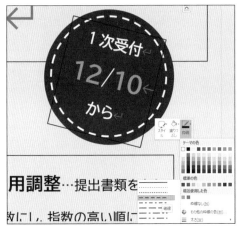

❻可愛らしいスタンプを自作する

日にちを強調するためにスタンプを作ります。操作方法は本書 p.88 で解説しています。チョコレート色とピンクの相性が良いこと、円の中に点線の円を配置し可愛らしさを演出したのが、今回のスタンプのポイントです。

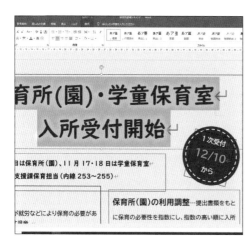

❼ 白ふち効果で優しい印象にする

大見出しを強調するために、白ふち効果を施します。文字を選択し、**ホーム** 内 Ⓐ から光彩を選択し一旦適当にふちを選択します。さらに文字を右クリックし、**図形の書式設定** から色を「白」、サイズは 18pt、透明度は「0%」に設定します。

❽ 仕上げる

p.48 のグリッドシステムなどを使い全体を整えます。最後に、全てのテキストボックスの枠を外すために、Shift を押しながらテキストボックスをクリックして選択していき、いずれかの枠線上で右クリック→ **枠線** → **枠線なし** を選択して不要な枠線を消します。

写真と色を変えるだけで印象が変わる！

写真を児童に、背景を水色にし小学生の保護者に訴求

保護者がより関心を持つよう、背景をピンクに

黄色は子どもらしさを演出する効果がある

特別徴収の仮徴収と平準化の説明

パーツを
並べていく

NG例：ベタ打ちで説明

介護保険料の年金天引き
（仮徴収と本徴収）

介護保険料は住民税決定後に確定します。住民税額決定は6月のため、介護保険料額確定は7月になります。年金は年6回ありますが、そのうち前半の3回に仮に徴収しないと、一度の天引き額が大きくなってしまうため、「仮徴収」を行います。

Q:所得が下がったのに10月の介護保険が上がったのはなぜ？

前年より所得が下がったのに10月に年金天引きされた介護保険料が上がっていた。賦課誤りではないか？

A. 徴収内容によって毎年変化するからです

解説

令和元年度の年額＝48,000円、令和2年度の年額＝43,200円の場合

■令和元年度		
仮徴収	元年 4月	9,000円
	元年 6月	9,000円
	元年 8月	9,000円
本徴収	元年10月	7,000円
	元年12月	7,000円
	2年 2月	7,000円
合計		48,000円

■令和2年度		
仮徴収	2年 4月	7,000円
	2年 6月	7,000円
	2年 8月	7,000円
本徴収	2年10月	7,400円
	2年12月	7,400円
	3年 2月	7,400円
合計		43,200円

もし仮徴収をしない場合、43,200円を3回で徴収することになります。一度の金額が大きくなるため、「仮に前年の本徴収額を令和2年度の仮徴収額とすることで、一度の負担を軽減しています。年額は低くなっても、8月と10月で差が出るのはこのためです。

| 2年度保険料 | 元年度仮徴収 | 2年度本徴収 | 2年度本徴収 | 本徴収の1度の天引き額 |

43,200円－21,000円＝22,200円 22,200円÷3＝**7,400円**

使用フォント：メイリオ・BIZ UDP ゴシック

✔ CHECK

高齢者には図解が鉄則

　難しい言葉が並んでしまうと距離感が生まれてしまい、伝わらないことがあります。せっかく良い制度や事業をしていても、伝わらなければ意味がありません。そこで効果的なのが図解です。イラスト(ピクトグラム)や表、チャートなど文章以外の方法でデザインすると直感的に理解ができるので、高齢者や子どもに配慮したものを作れます。

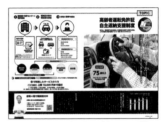

▲高齢者免許返納制度の広報みよし紙面
（令和元年6月号 p.10-11）

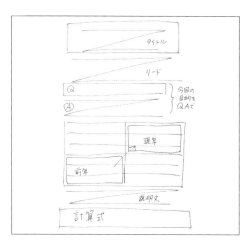

❶文字を極力使わないデザインにする

所得段階による納税額・納付額の年額変更などを文章で説明すると、難しくなりがちです。そこで、Q&Aで疑問に端的に答え、前年と比較できるよう表を使います。ポイントは制度を全く知らない住民の気持ちになることです。制度を知らない職員に下描きを見せても理解できるようにしましょう。

❷紙面の余白を決める

小説や説明文など「文字を読むための紙面」の余白は「広い」か「標準」が向いていますが、今回のようにグラフィックに特化したものはテキストボックスや図形の配置を自由にするために **レイアウト** から **余白** を **狭い** にします。

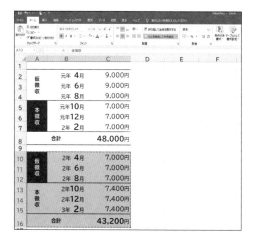

❸Excelの表をコピー&ペースト

図表が必要となった場合、Excelで作った図表をコピー&ペーストして持ってくるのが便利です。

113

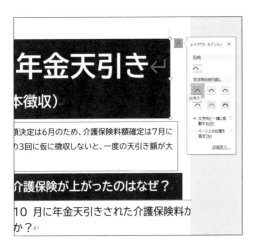

仮徴収	2年	4月	7,000円
	2年	6月	7,000円
			7,000円
本徴収	2年	(リ)月	7,400円
	2年	12月	7,400円
	3年	2月	7,400円
合計			43,200円

❹貼り付けの種類に注意する

本書 p.13 で紹介したいくつかの貼り付けの種類の中から内容に沿った方法で❷に表を貼り付けます。Ctrl +Vで貼り付けをすると意図しない形式になる場合があるので、右クリック→ **貼り付けのオプション** から適宜選択して貼り付けます。今回は **図として貼り付け** にしました。

❺文字列の折り返しを設定する

今回は表を「図」として貼り付け、つまり画像として扱っているので、文字列の折り返しを「四角形」「前面」「背面」のいずれかにすれば自由に配置することができるというメリットがあります。テキストボックスの **文字列の折り返し** は **四角形** にしておきます。

❻テキストボックスを入力する

パーツとなる内容をテキストボックスに入力して貼り付けていきます。

❼ 左揃えにする

不揃いのテキストボックスの面を
合わせます。本書 p.48 の手順で
左揃えにします。

❽ 殺風景さをなくす

下地の色や写真もなく殺風景にな
る場合は、部分的に下地の色を変
えることが効果的です。紙面の最
下部なら下地の色を変えても違和
感がありません。 図形 から紙面
がうるさくならないように、薄い
グレーの四角形（枠なし）を作り、
最背面にして配置します。

写真と色を変えるだけで印象が変わる！

四角で囲うと、スタイリッ
シュな印象に

メインの色をピンクにする
と、可愛らしい印象に

ジャンプ率が大きいので白
黒でも見やすい

就職相談講習会の
チラシ・ポスター

写真を
全面に使う

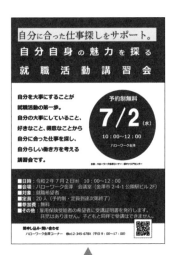

NG例：文字ばかり

使用フォント：メイリオ

✔ CHECK

チラシ・ポスターはパーツの集まり

　著者は普段、Indesign を使ってポスターや
チラシ、広報紙などを作成していますが、この
本で紹介しているのと同じように、テキストや
写真などのパーツを組み合わせて1つの成果物
にしています。パーツを組み合わせ、ジャンプ
率などを駆使すれば、Office ソフトでもしっか
りしたものが作れます。

▲ Indesign の作業画面

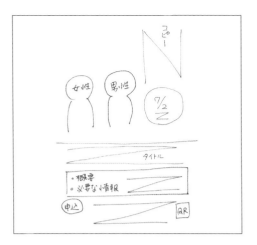

❶ 7：3の法則でデザインする

講習会などの告知では、第一印象が重要です。そこで7:3の法則（本書 p.26 参照）で写真と一言キャッチコピーを上部7割に配置することで、どのような内容かがパッと目に入ります。また、下部3割には詳細や概要などを配置していきますが、左から右への目線の動きを意識したレイアウトを心がけましょう。

❷ 7：3の下地を作る

写真がないときは「ぱくたそ」（本書 p.16 参照）のフリー素材を使います。下描きに沿って配置していきます。下地も本書 p.105 の要領で作ります。

❸ 漢字は大きく ひらがなは小さく

次にテキストだけのファイルを新たに作り、テキストボックスに文字を入れていきます。キャッチコピーでは平仮名を小さくする手法が有効です。キャッチコピーは7：3の7割のほうに配置をして目をひきます。

❹日付スタンプを作る

伝えたい優先順位の高い開催日時を強調するため、p.88で紹介した要領でスタンプを作ります。その日に予定があれば参加できないので、日程を強調するのはイベント告知のデザインの基本です。

❺テキストボックスのバランスを調整

全体を見て、バランスが良いか、ジャンプ率が適切かなどを確認します。一度ここでプリントアウトして、確認をするとよいでしょう。データ上はいいのに、印刷するとズレてしまう、という場合は、p.37で紹介したとおりPDF化してから印刷してみましょう。

❻画像をコピー＆ペースト

❺に❷の画像と下地をコピー＆ペーストし最背面に移動させます。

❼ 下地をコピー＆ ペースト

黒の文字に紺の下地ではコントラストの差がないので、左画像のように潰れてしまいます。カラーユニバーサルデザインを意識しながら色も調整しましょう。

❽ テキストボックスの線を取る

Ctrl + A ですべてのテキストボックスと図が選択されます。写真の選択を Ctrl を押しながらクリックして外します。テキストボックスのいずれかの枠線の上で右クリック→ **枠線** から **枠線なし** を選択します。

写真と色を変えるだけで印象が変わる！

女性向け講習会なら、女性の写真と明るい色に

男性向け講習会なら、男性の写真と濃い色に

赤と黒を使う。黒は引き締まり、赤は情熱的に

財政状況・歳入予算報告

社会的配慮
をする

NG例：障害への配慮がない

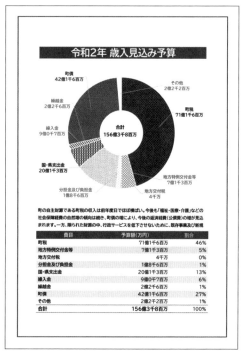

使用フォント：BIZ UDP ゴシック

✔ CHECK

Excel でチラシ・ポスターは作らない

Excel は表計算をしたり、グラフや表を作ったりするときに有効的ですが、一方で Word や PowerPoint のようにグラフィックを重視したデザインは不得手です。資料やチラシなどを作るときは、Excel の使用はグラフや表を作るためだけに限りましょう。

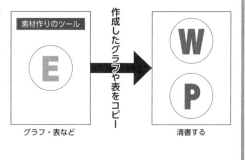

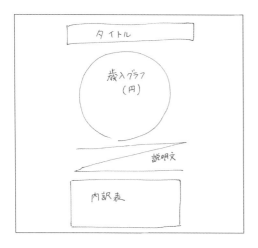

❶ グラフと詳細の バランスをとる

1枚デザインで横書きの場合、目
の動きは左→右、上→下です。上
部にグラフ、下部に説明、項目詳
細を配置していきます。グラフが
メインの場合は Excel だけで作
成するほうが効率的です。それも
踏まえて下描きをしていきましょ
う。

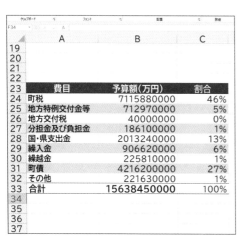

❷ Excel で表を作る

Excel が得意な表で歳入予算を入
力していきます（伝わる表のデザ
インは本書 p.60 を参照）。ここ
では桁が多くても実数を入力しま
す。これはグラフを作るときに実
数がないと、数字の単位を入れら
れないからです。

❸ 表示する単位を変 更する

予算額のあるセルを選択して右ク
リック→ **セルの書式設定** → **表示
形式** → **分類** 内 **ユーザー定義** を
選択します。今回は百万、千万、
億の単位を入れたいので **種類** 欄
に **[DBNum3]#" 億 "#" 千 "#,," 百万 "** と入力します。

❹ ドーナツ形を作る

本書 p.62 の手順で円グラフを作ります。今回は中央に総額を入れたいので、**ドーナツ形** のグラフを選択しました。

❺ グラフの色を変える

初期設定のままだと色が多く、コントラストの差もないので、不親切です。そこで **デザイン** 内 **色の変更 → モノクロパレット** から同じ色をベースに濃度で分けているものを選択します。

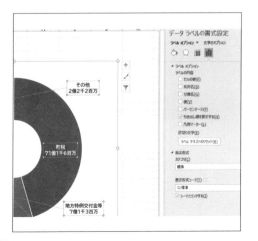

❻ グラフにデータを入れていく

グラフをでダブルクリック→ **データラベルの書式設定** 内 **ラベルオプション** の **引き出し線を表示する** にチェックし、フォントの種類や大きさ・色などを調整していきます。

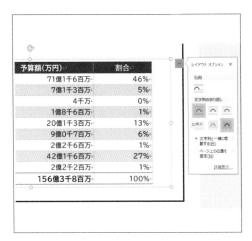

❼ Word に表を貼り付ける

Word に表やグラフを貼り付けていきます。表を貼り付けるとき、テキストボックスの中に **元のデータ書式を保持** で貼り付けると、文字列の折り返しが設定できます。

色を変えると印象が変わる！

青は予算など住民の目が気になるときにオススメ

赤は情熱的な印象なので、デリケートな内容には×

パターンにすれば白黒でもわかりやすい

証明交付請求書

メリハリを
つける

諸証明等交付請求書

(あて先)佐久間町長

令和　年　月　日

1.何が必要ですか

戸籍の附票	全部		通
	一部		通
身分証明書			通
不在籍証明			通
合計			通

※ 身分証明書を本人以外の人が請求する場合は委任状が必要です。

2.どなたのものが必要ですか

本籍	
フリガナ	
筆頭者	明・大・昭・平・令　年　月　日生
フリガナ	
必要な人の氏名	明・大・昭・平・令　年　月　日生

3.窓口に来られた人はどなたですか

□本人　□その他	
氏名	
住所	
電話番号	
使用目的・提出先	

※ 偽り、その他不正な手段により交付を受けたときは、過料に処せられます。
※ プライバシーの侵害につながるような不当な請求には応じられません。

本人確認	受付	作成	交付	手数料	
□運転免許証　□パスポート					
□健康保険証　□その他				通　　円	
□住基カード □在留カード					
□個人番号カード					

NG例：のっぺりしている

使用フォント：BIZ UDP ゴシック

✔ CHECK
人は上から順に見ていく

　左の２つの請求書は一見同じに見えますが１と２の項目の順番が逆です。例えば住民票を取りにきた場合、左だと１の項目を書いてから「あれ、この用紙じゃない」と気が付きますが、右の場合は１の時点で気が付きます。人は上から順に見る習性があります。そこまで配慮することが行政として必要なデザイン力です。

×　　　　　　　　　　　○

▲住民のことを考える

❶白黒印刷を前提に デザインする

申請書などは白黒印刷が基本です。そのため、白黒でわかりやすいデザインにすることが重要です。見出しなど「見る」箇所は下地を黒に、文字を白にするなどの配色にすることでメリハリのある申請書になります。下描きの時点でそれを勘案しながらデザインしましょう。

❷印刷範囲を知る

せっかく紙面を作っても見切れてしまっては残念です。そこで、まず印刷範囲を知るために **表示** から **改ページプレビュー** を選択し **標準** に戻します。すると点線が表示されるようになります。これが印刷範囲の境界線です。

❸一番小さい幅を ベースにする

最初に行の高さと列の幅を設定します。このとき、列の幅はその列で一番小さい幅のものに合わせます。一番小さい幅のものが複数あるときは幅を均等にします。❷で表示された境界線からはみ出さないように注意しましょう。

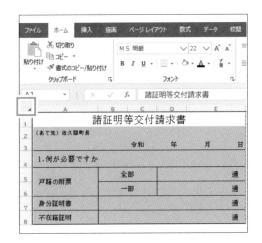

❹全ての行と列を 一発で選択する

左の囲んだ部分をクリックすると 「全ての行と列」が選択されます。 Ctrl+Aで選択するのは「全ての セル」で、「全ての行と列」とは 意味が異なる点がポイントです。

❺フォントをゴシッ ク体に変更する

❹の状態で **ホーム** からフォント を選択します。申請書には必ず「ゴ シック体」を使います。明朝体の 場合、文字が細いので印刷したと きに文字がかすれてしまうなどの 問題があるためです。今回は「BIZ UDP ゴシック」フォントを選択 しました。

❻インデントで面を 合わせる

セル内で左揃えにすると余白がな かったり、センター揃えにする と統一感がなくなったりする場 合があります。そこで揃えたいセ ルをCtrlを押しながら選択→右ク リック→ **セルの書式設定** → **配 置** 内 **インデント** の数値を変えて 調整します。

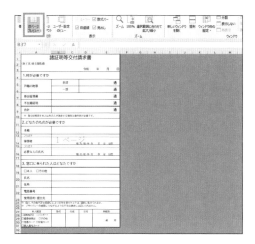

❼ プレビューで確認する

バランスよく配置されているか、印刷範囲からはみ出していないかを **表示 → 改ページプレビュー** で確認します。問題がないようであれば、**標準** を選択して戻します。

色を変えるだけで印象が変わる！

飛び出す印象の赤で3つの項目を強調

落ち着いて必要事項に記入してもらえるよう水色に

濃いグレーを黒に変えて目を誘導

127

新規採用職員募集・説明会チラシ

若者がふり向く
デザインに

NG例：カッコよさが足りない

使用フォント：BIZ UDP ゴシック・マキナス

✔ CHECK
スライドマスターを使いこなす

　Officeでは写真や図、文字を固定することはできません。しかし、PowerPointのスライドマスターを活用すれば、それらを固定させることができます。Photoshopなどにあるレイヤーという概念に近く、アニメのセル画で背景に人物を重ねているイメージです。文字以外の要素をスライドマスターに落とし込む方法がとても有効的です。

▲重ね合わせて1枚にする

❶ 第一印象を重視する

職員募集のチラシやポスターでは、対象者に伝わるデザインが重要です。そこで、写真をメインにしたレイアウトを下描きします。

また、QR コードを付けることで、スマホ世代がすぐに申し込みができるように工夫もしましょう。知りたい情報は申し込みはいつまでか、説明会はいつ行うのかです。それがわかるように7：3の法則で配置します。

❷ サイズを設定する

デザイン から **スライドのサイズ** → **スライドのサイズ指定** で **A4** を選択→ **印刷の向き** を **縦** にして OK をクリックすれば下地の完成です。

❸ スライドマスター で下地を固定

表示 タブから **スライドマスター** を選択します。本書 p.105 で紹介した下地と異なるのは、下地を固定させることができるので、意図しないものを選択してしまうことが一切なくなる点です。

129

❹画像を配置する

下地となるスライドマスターに人物写真を配置していきます。本書p.80で紹介した手順で人物写真を切り抜きます。人物や図形、表などをスライドマスターの1枚目にどんどん入れて配置していきます。

❺背景を作る

図形の挿入 から「四角」を選択し、大小さまざまな四角形を挿入します。後から文字を重ねることを意識したサイズにすることがポイントです。角度をつけることで紙面に動きを出すことができ、賑やかな印象を与えることができます。また、罫線をクモの巣のように張り巡らすことで、近未来的な印象を与える演出をしています。

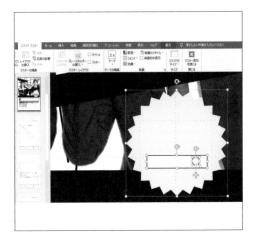

❻検索バーを作る

チラシやポスターでよく目にする「〇〇で検索」のような検索バーは、実はOfficeでも簡単に作れます。図形で黒い枠線の白い長方形を作って検索バーに見立て、その上に図形の円と直線を合わせて作った虫眼鏡を重ねるだけです。虫眼鏡は薄いグレーにすると雰囲気が出ます。

❼ 表は Excel から コピー＆ペースト

職員募集などのチラシの場合、採用条件などの細かい情報は表にするとわかりやすくなります。ここでのポイントは表は Excel からコピー＆ペーストしてくることです。本書 p.13 で紹介した貼り付けの種類から適したものを選んで貼り付けましょう。

❽ 通常画面で テキストを入れる

スライドマスター → マスター表示を閉じる を選択して通常画面に戻します。続いてテキストボックスで文字情報を入力して配置していきます。文字以外が固定されているので、とても作業がしやすいはずです。

写真と色を変えるだけで印象が変わる！

マスターページでスムーズに写真を変更

熱意のある人材を採用したい場合、メインの色を赤に

コントラストをはっきりさせれば白黒でも見やすい

介護サービス利用者
所得段階変更の告知

写真や Q&A で
リズムよく

平成30年8月から
現役並みの所得者
介護サービス利用時
負担割合が3割に

現役並み所得で
介護サービス利用者
の皆さんへ

介護サービスを利用する場合には、費用の一定割合を利用者の方にご負担いただくことが必要です。　この利用者負担割合について、これまでは1割又は一定以上の所得のある方は2割としていましたが、平成 30 年 8 月から 65 歳以上の方（第1号被保険者）であって、現役並みの所得※1 のある方には費用の3割をご負担いただくことになります。

Q: どうして見直しを行ったのですか？

介護保険制度を今後も持続可能なものとし、世代内・世代間の負担の公平、負担能力に応じた負担を求める観点から、負担能力のある方についてはご負担をお願いするため、見直しを行いました。

Q: 3割負担になるのはどういう人ですか？

65歳以上で、合計所得金額※2 が 220 万円以上の方です。

ただし、合計所得金額※2 が 220 万円以上であっても、世帯の 65 歳以上の方の「年金収入とその他の合計所得金額※3」の合計が単身で 340 万円、2 人以上の世帯で 463 万円未満の場合は2割負担又は1割負担になります。

※1　最新制度改正においては、現役世代と同程度の所得がある方について、窓口負担を3割としています。介護についてもこの所得区分を踏まえて基準を設定しています。
※2　「合計所得金額」とは、収入から公的年金等控除や給与所得控除、必要経費を控除した後で、基礎控除や人的控除等の控除をする前の所得金額をいいます。また、長期譲渡所得及び短期譲渡所得に係る特別控除を控除した額で計算されます。
※3　「その他の合計所得金額」とは、※2の合計所得金額から、年金の雑所得を除いた所得金額をいいます。

平成30年8月から

現役並みの所得者介護サービス
利用時負担割合が3割になります

～現役並み所得者で介護サービス利用者の皆さんへ～

介護サービスを利用する場合には、費用の一定割合を利用者の方にご負担いただくことが必要です。　この利用者負担割合について、これまでは1割又は一定以上の所得のある方は2割としていましたが、平成 30 年 8 月から 65 歳以上の方（第1号被保険者）であって、現役並みの所得※1 のある方には費用の3割を負担いただくことになります※1

今回の見直しは、介護保険制度を今後も持続可能なものとし、世代内・世代間の負担の公平、負担能力に応じた負担を求める観点から、負担能力のある方についてはご負担をお願いするため、行いました。

対象となるのは、

65歳以上で、合計所得金額※2 が
220 万円以上の方です。

ただし、合計所得金額※2 が 220 万円以上であっても、世帯の 65 歳以上の方の「年金収入とその他の合計所得金額※3」の合計が単身で 340 万円、2 人以上の世帯で 463 万円未満の場合は2割負担又は1割負担になります。

※1　最新制度改正においては、現役世代と同程度の所得がある方について、窓口負担を3割としています。介護についてもこの所得区分を踏まえて基準を設定しています。
※2　「合計所得金額」とは、収入から公的年金等控除や給与所得控除、必要経費を控除した後で、基礎控除や人的控除等の控除をする前の所得金額をいいます。
※3　「その他の合計所得金額」とは、※2の合計所得金額から、年金の雑所得を除いた所得金額をいいます。

NG例：文字やバランスが見にくい

使用フォント：メイリオ

✔ CHECK
よくある質問を入れるとわかりやすい

　住民への通知文をそもそも「なぜ」作るのかということを考えたことはありますか。疑念や不安を解消するために制度を理解してもらいたいからではないでしょうか。そこで効果的なのは、住民の関心の高いこと、クレームが多い事案、住民が不安になりそうなポイントを紙面を作る前に考えて、Q&A方式にすることです。また、行政が伝えたいことを掲載するのではなく、あくまでも「住民目線」で作ることは、絶対に失念しないようにしましょう。

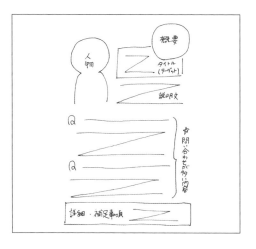

① 自分事に感じる
デザインにする

高齢者向けのチラシやデザインでは、自分事に思ってもらうために同世代の写真を使います。また、説明文が多いと文字が小さくなりがちなので、Q&A方式を活用し必要最小限の情報を大きな文字で伝えます。これらを意識しながら下描きをしましょう。

② トリミングで
画像を切り取る

スライドマスターに画像などを配置していきます。今回のデザインでは7：3の法則を活用し、7割の位置に写真と優先順位の高い情報を掲載することを意識してレイアウトしていきます。また、どこに文字が入るのかを意識してトリミングをします（本書p.76参照）。

③ 画像に
文字を重ねる

画像の上に文字を重ねるときにポイントとなるのは、ズバリ「順序」です。図やテキストボックス上で右クリックすると表示されるツールバー内 **最前面へ移動** **最背面へ移動** などを使って順序を決めていきます。

❹写真と重なる文字は袋文字にする

写真と文字が重なって見にくくなるときがあります。そのときに効果的なのは文字の輪郭を縁取ることです。縁取りたい文字を右クリックして、**図形の書式設定** 内 **文字のオプション** → **文字の輪郭** → **線（単色）** を選択して袋文字を作ります。

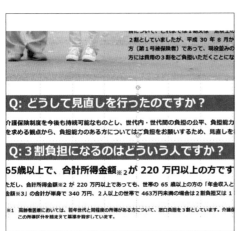

❺文字を装飾する

Q&A方式にするときに大切なのは、住民が不安や疑問に思っていることがパッと目に入ることです。そこで質問を目立たせるためにテキストボックスを選択し、右クリック→ **塗りつぶし** から明度の低い色を選択します。今回は濃いグレーを選び、文字を白にしました。

❻下線を引く

特に強調したい場合は下線を引くと効果的です。図形で線を引き、右クリック→ **枠線** → **太さ** から線を太くし、色を選択します。線を引いたら最背面に移動し、文字にかぶらないようにします。今回は黄色を選択していますが、赤のほうがより強調されます。ジャンプ率（本書 p.22 参照）も意識しましょう。

❼ 行間を調整する

テキストボックス内の行間が空きすぎたり、詰まりすぎたりするときがあります。そのときには本書p.34を参考にしながら行間を調整します。行間を調整するときは「固定値」を活用する癖をつけるようにして細かな設定を心がけます。

写真と色を変えるだけで印象が変わる！

近影写真にするともっと高齢者に寄り添う印象に

優しいオレンジベースは高齢者への告知に効果的

コントラストがはっきりしていて白黒にも耐える

アプリ登録促進 チラシ・ポスター

シンプルなデザイン & QRコード

NG例：気軽に使えなさそう

使用フォント：BIZ UDP ゴシック・メイリオ

✔ CHECK
QRコードを使ったクロスメディア

　チラシや通知書で伝えきれない情報を伝達する方法としてQRコードが有効です。例えば左の画像のように、QRコードを広報紙内に入れ、QRコードを読み取るとWEBサイトに飛び、より多くの情報を提供する「クロスメディア」を活用してみましょう。「QRコード作成」で検索すれば自分で簡単にQRコードが作れます。

▲読者に情報を深堀りさせる

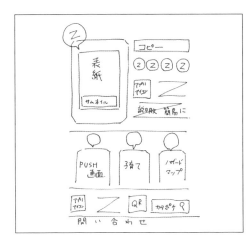

① シンプルなデザイン

相手にチラシやポスターなどを見て行動してもらうためには、面倒だと思われないことです。そのため、紙面は極力シンプルにすることが重要で、見た目を重視したデザインにします。

また、自治体の媒体ではイラストでなく写真を使ったほうがひきがいい紙面になるので、それも踏まえて下描きしていきましょう。

② サイズを設定する

デザイン から **スライドのサイズ → ユーザー設定のスライドサイズ** を選択します。**スライドのサイズ指定** から **A4** を選択し、**スライド** を **縦** にして OK を選択。スライドマスターで作業する前に必ず設定します。古いバージョンの場合は、**ページ指定** から設定できるものもあります。

③ 切り抜きと
　　トリミング

スマートフォンの画像をぱくたそ（本書 p.16 参照）からダウンロードし、背景が白くても切り抜きをします（本書 p.80 参照）。今回は上部だけ表示させるため、画像上で右クリック→ [✂] でさらにトリミングを行います。

❹スクリーンショットを埋め込む

スマートフォン上でスクリーンショットした画像をスマートフォン画像に重ねて合成させます。スクリーンショットは自然な感じになるように、トリミングをしてバランスを取りながら違和感のないように調整していきます。

❺細かい図形は重ねる

小見出しのバーを作るとき、テキストボックスだけで作ると中央揃えにならないことがあります。図形の上にテキストボックスを重ねるほうが微調整できるので短い作業時間で済みます。今回は角が丸い図形を選びました。

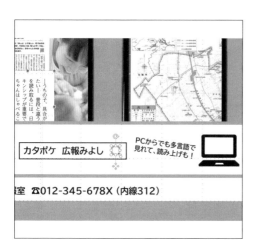

❻検索バーを作る

検索バーの虫眼鏡の作り方は本書 p.130 で紹介しました。検索バーの中に入れる文字のポイントは、必要最小限にすることです。Google や Yahoo! で検索してヒットするか確認しながら文字を減らしていきます。入力する文字数を極力少なくするなど、読者の負担を減らす工夫をしましょう。

❼ QR コードを作成 &配置する

QR コードは「QR コードフリー作成」などで検索して、そのサイトに URL を入力するだけで簡単に作成できます。URL が長いと QR コードが複雑化するので URL 短縮サイトで短縮してから QR コードを作成することをお勧めします。

写真と色を変えるだけで印象が変わる！

メイン写真やベースの色を差し替えてかわいらしく

メインの色を水色にすると爽やかに

メインの写真と合わせたベースカラーで引き締め

　私は、今ではこのような本を出版させていただけるようになりましたが、もともとはデザインの「で」の字も知らない、ただの素人でした。しかし、税務課のときも、介護保険担当のときも、広報担当のときも、常に考えていたことがあります。

「どうしたら住民にわかりやすく伝えられるのか」

　この想いをずっと持ち続けた結果、デザインの本を読んだり、フォントを学んだり、ナッジ理論で工夫をしたり、ユニバーサルデザインの資格を取得したりと自発的に行動するようになり、その積み重ねがあるからこそ何冊も本を世に出すことができたのだと考えています。

　本書も含め、今まで出版してきた本に共通することは、ノンプロの公務員目線で語られているということです。住民目線を常に意識し、現場の声、住民の声を直接聞きながらチラシや通知書を作り、起案に添付して決裁をもらうというプロセスを知っているからこそ、皆さんの「痒い所に手が届く」内容に仕上がっていると思います。

「佐久間はセンスがあるから」
とよく言われましたが、そんなことは決してありません。前述したとおり、ただの素人からスタートしました。だから、チラシやポスター、通知書を上手に作れない、なぜなのか理由もよくわからないで途方に暮れる気持ちが痛いほどわかるのです。この本が住民に「伝わるデザイン」を作るために役立つことを心から願っています。

　最後までご覧いただき、ありがとうございました。

２０２０年４月

佐久間 智之

●著者紹介

佐久間 智之 (さくま ともゆき)

1976 年生まれ。東京都板橋区出身。埼玉県三芳町で公務員を18年間務める。税務課（固定資産税）、健康増進課（介護保険）を経て広報室へ。独学で広報やデザイン・写真・映像などを学び、全国広報コンクールで内閣総理大臣賞を受賞、自治体広報日本一に導く。2020 年 2 月に三芳町を退職し、PRDESIGN JAPAN ㈱を立ち上げる。現在は執筆の傍ら行政・自治体の広報アドバイザー、早稲田マニフェスト研究所招聘研究員、PR TIMES エバンジェリストなどを務める。地方公務員アワード2019 受賞。Juice=Juice 金澤朋子写真集『いいね三芳町』のフォトグラファー。『やさしくわかる！ 公務員のための SNS活用の教科書』『PowerPointから PR 動画まで！ 公務員の動画作成術』など著書多数。

■ X
https://twitter.com/sakuma_tomoyuki
ID：@sakuma_tomoyuki
■ Instagram
https://www.instagram.com/sakuma_tomoyuki
■ Facebook
https://www.facebook.com/tomoyuki.sakuma.3
■ YouTube
https://bit.ly/3FcbZll
■研修・講師などのお問い合わせ
https://prdesign-japan.co.jp/service/
t.sakuma1976@gmail.com

●出典　　　　　　　　　　　　　　　　　　　　　　　　三芳町役場提供

○広報みよし
2014.12月号表紙／2015.8月号表紙／2015.9月号表紙／2015.9月号 p.30／2019.9月号 p.25-26／2019.12月号表紙／2019.12月号 p.3／2019.6月号 p.10-11／2019.12月号 p.30／2019 里山里海特別号表紙

○三芳町洪水ハザードマップ
○カタログポケット導入チラシ
○金澤朋子トーク＆ミニライブ in　三芳町～ LOVE みよし～ イベントチラシ

Officeで簡単！
公務員のための「1枚デザイン」作成術

2020年4月30日　初版発行
2024年2月2日　7刷発行

著　者　佐久間智之
発行者　佐久間重嘉
発行所　学陽書房
　　　　〒102-0072　東京都千代田区飯田橋1-9-3
　　　　営業部／電話　03-3261-1111　FAX　03-5211-3300
　　　　編集部／電話　03-3261-1112
　　　　http://www.gakuyo.co.jp/

イラスト協力／みずしな孝之
ブックデザイン／スタジオダンク
印刷／精文堂印刷　製本／東京美術紙工

公務員のための「デザイン」の教科書決定版！

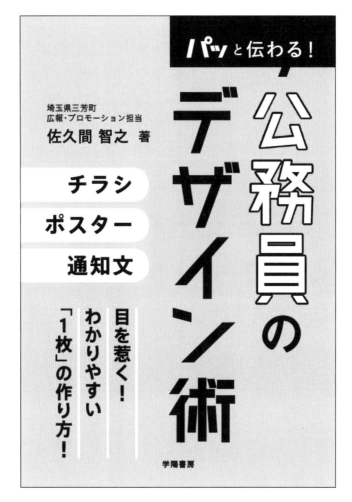

A5判・並製・128ページ　定価1,980円（10％税込）

●今日からできる、公務員のためのデザインノウハウ本！
住民の反応がガラッと変わるデザインの作り方がまるごと
わかる！　『すぐに使える！　公務員のデザイン大全』と
セットで持ちたい1冊！